# 제주에서 가다라와나

저자 김가온, 김다온, 김라온과 김미르

제주 서귀포에서 터를 잡고 살아가고 있는 온자매네를 소개한다.

항상 새로운 걸 도전하고, 밝고 신나게 웃으며 살고 싶다는 온자매네 첫 번째 큰딸 가온,
무엇이든 척척 잘하지만, 운동장에서 친구들과 뛰어놀거나 운동할 때가 제일 좋다는 두 번째 큰딸 다온,
제주 토박이임에 자부심이 강하고, 미래 버전 민돌(자가용)을 개발하는 과학자가 되고 말겠다는 막내 라온,
그리고 온자매들과 함께 어른으로 성장해 가는 늦깎이 엄마 미르,
때론 엄마보다 더 엄마 같으면서도 든든한 아빠 민석,
아빠 부하이자 라온이 동생 민돌(자가용)

# 제주에서 가다라와 나

글그림 _ 가온다온라온미르
일러스트 _ 라온

# 책 / 소 / 개

이 책은 제주 입도 후 10년 동안의 온자매들(가온, 다온, 라온) 성장 기록이다. 만 10살 가온과 다온, 그리고 만 8살 라온이의 작품들(그림, 동시, 일기 등)과 비슷한 시절의 엄마 미르 일기장 일부 내용을 발췌해서 함께 엮었다.

세 자매의 성장 이야기와 엄마의 추억이 어우러진 이 책에는, 시간이 흘러도 변치 않는 가족의 사랑과 소중한 기억을 담고자 노력했다.

# 서문

우리 가족은 많은 사람들이 한 번쯤 로망으로 꿈꾸는 제주에서 입도해, 10년째 자연과 더불어 육아하며, 제주의 아름다움과 따뜻함 속에서 일상을 보내고 있다.

이 책은 세 온자매들 -가온, 다온, 라온- 의 성장 기록이다. 만 10살의 가온과 다온, 그리고 만 8살의 라온이가 제주의 자연 속에서 자라며 남긴 그림, 동시, 일기 등 소중한 작품들을 모아 소개한다. 또, 비슷한 시절 엄마 미르의 일기장 일부도 함께 엮어, 두 세대의 이야기를 함께 담아냈다.

이 책은 다음과 같이 구성되었다.

각 장은 작가 이름의 한글 자음 순으로 배치하였다: 1장-가온, 2장-다온, 3장-라온, 4장-미르

작품마다 작가의 이름과 함께 당시 (만)나이를 기재하였다. 그리고 글의 경우에는 작품 원본을 사진으로 찍어 본문에 배치한 후, 다시 한 번 원작의 내용을 옮겨 적었고(되도록 원본 그대로 반영하려고 노력

하였음), 엄마 미르의 시점에서 각 작품의 당시 배경이나 작가의 상황들을 회상하는 글들을 몇 자 적었다.

이 책은 우리 가족에게는 특별하지만, 아이를 키우는 모든 부모와 성장하는 아이가 겪는 보통의 이야기이고 집에 하나쯤 있는 흔한 작품에 불과할지도 모른다. 그래도 우리 가족에게는 특별한 일상이기에 육아의 첫 설렘, 유년기의 순수함, 행복함의 증거이자 기억이 될 앨범으로 남기기 위해 기록하고자 한다. 지금의 아이들에게는 자부심이 되고, 훗날 기억이 흐려지고 지쳤을 때 우리 온자매 가족들에게 위로가 되기를 바란다.

결혼 전 엄마 미르에게 보물 1호는 국민학교 시절부터 써온 일기장들과 그 시절 시골에서 뛰어놀며 자란 추억들이었다. 그 일기와 추억들은 삶의 지침이 되었고, 힘들고 지칠 때마다 위로해 주었다. 비록 지금은 그 소중한 자리를 온자매들에게 내주었지만, 여전히 마음속 깊이 자리 잡고 있다. 이 책을 통해 온자매들이 제주에서의 행복한 순간들을 기억하고, 훗날에도 그녀들에게도 애착과 보물로 남길 바라는 마음으로 펴냈다.

따뜻한 가족의 추억이 담긴 이 책이, 여러분에게도 잔잔한 감동과 따뜻한 울림을 전해주길 바란다.

차례



## 1장
# 가온

## 2장
# 다온

# 3장
# 라온

# 4장
# 미르

1장.

# 가온

## 우리 가족

그림: 김가온 (3년 10개월)

가족 모두, 가족사진보다 더 예쁘게 그려줘서 고맙다고 가온에게 인사했던 그림. 한동안 현관문에 문패처럼 붙여두었던 그림이다.

## 핸드폰 보고 있는 아빠

그림: 김가온 (5년 8개월)

종이접기만을 한참 좋아하던 가온이가 어느 날 윙크 잘해주는 아빠 특징을 정확히 잘 잡아 표정까지 살아있게 그려 선물해 주었던 그림이다.

# 소원

그림: 김가온 (6년 2개월)

유치원 졸업을 앞둔 겨울방학 어느 날, 달님에게 편지를 써서 정월 대보름 때까지 잘 보이게 현관에 붙여두었던 가온이. 초등학생이 되면 받고 싶은 선물 1번은 핸드폰이란다. 입학 후 제주도 내에서 지원하는 초등학생 안심 알리미 핸드폰을 선물로 받은 건 안 비밀 ~

# 우리 엄마

그림: 김가온 (6년 5개월)

새벽 1시 50분, 육지로 출장 간 아빠가 올 때까지 안 자고 기다리며 그린 그림. 공주풍 엄마가 아닌 실제 엄마 특징을 잡아 그려줘서 엄마가 가장 좋아하는 그림 중 하나이다. 특히, 빨간 스웨터와 수면양말의 질감과 패턴을 그대로 표현해서 깜짝 놀랐다. 미술 영재인가? 전문학원을 보내야 하나 하고 그 흔하다는 엄마들의 착각 병을 나도 잠시 앓았었다.

# 파오파오

그림: 김가온 (6년 6개월)

당시 가온이가 가장 좋아하던 TV 만화 시리즈 바오밥 섬의 파오파오를 그린 그림. 무심한 엄마는 노란 둘리인 줄... 세대 차이 격하게 느꼈다.

## 하늘과 바다

그림: 김가온 (6년 9개월)

하늘과 바다

글 : 김가온

살랑살랑 바람이  살랑살랑 하네요
바다는  철렁철렁 합니다
하늘은 구름이  뭉개뭉개 합니다.
새는  짹짹짹 노래를 합니다.
그리고 나비는  팔랑팔랑 날고있어요.
그리고 나는 시를 쓰고 있지요.

엄마 아빠처럼 자기도 노트북으로 일하겠다며, 자리 잡고 처음으로 노트북에 쓴 시. 자신감 뿜뿜!! 직접 프린트까지 해서 벽에 붙여놓은 작품 중 하나이다(지금까지 자기 책상 위에 붙여져 있다).

# 말을 타고 싶은 나

글(일기) : 김가온 (6년 10개월)

목 : 말을 타고 싶은 나

오늘은 갑자기 말탔던

각이 났다. 정말 이

했다. 그데 재미게 놀

서 다잉 이다. 근데

속 머리안에서 계속

속 생각난다. 그리고

든 기억이 지우개로

다 지워진것 같다.

오늘은 갑자기 말 탔던 생각이났다

정말 이상했다. 근데 재밌게 놀아서 다잉(다행)이다. 근데 계속 머리 안에서 계속 계속 생각난다. 그리고 모든 기억이 지우개로 싹 다 지워진 것 같다.

(옮긴이 : 김미르)

겁이 많은 편이지만 동물을 사랑하는 가온이가 처음 말을 탄 날. 타기 직전에 조금은 울었지만, 엄마 없이 혼자 타겠다는 결심을 끝까지 실천한 날이다. 이 첫 경험이 계기가 돼서 본격적으로 승마를 배우기 시작했다. 말을 탈 수 있어 제주에 사는 게 행복하다고 말하는 가온이의 마음이 그대로 읽히는 일기였다.

# 수염

글 : 김가온 (7년 10개월)

2021. 9. 15. (목)

수염 글: 김가온

염은 여러종류가 있다.
칠지칠한수염, 긴수염
보들한수염, 차가운수염
등등... 많다. 난 그 중에서도
아빠의수염이 재밌다.
아빠 수염을 이렇게
도 해보고 저렇게도
해보고 정말재밌다.

수염은 여러 종류가 있다.
거칠거칠한 수염, 긴 수염,
보들한 수염, 차가운 수염
등등... 많다. 난 그중에서도
아빠의 수염이 재밌다.
아빠 수염을 이렇게
도 해보고 저렇게도
해보고 정말 재밌다.

(옮긴이 : 김미르)

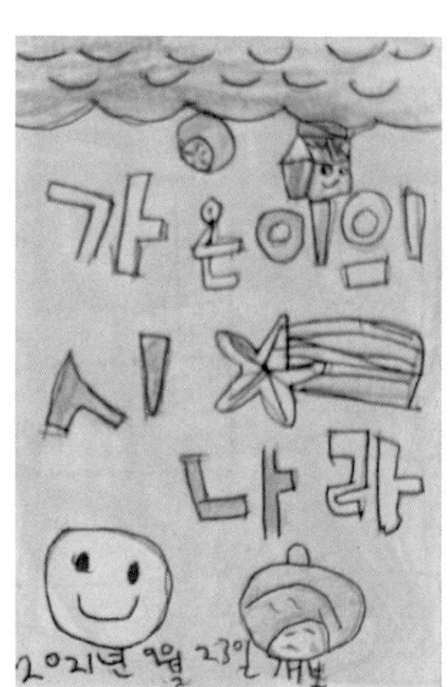


'가온이의 시 나라' 미니 북 표지

엄마에게 줄 선물이 있다며 내민 '가온이의 시 나라' 미니 북에 적혀 있던 시 중 하나. 아빠와 뽀뽀하고 생각나서 지은 시란다.

# 발표

글 : 김가온 (7년 10개월)

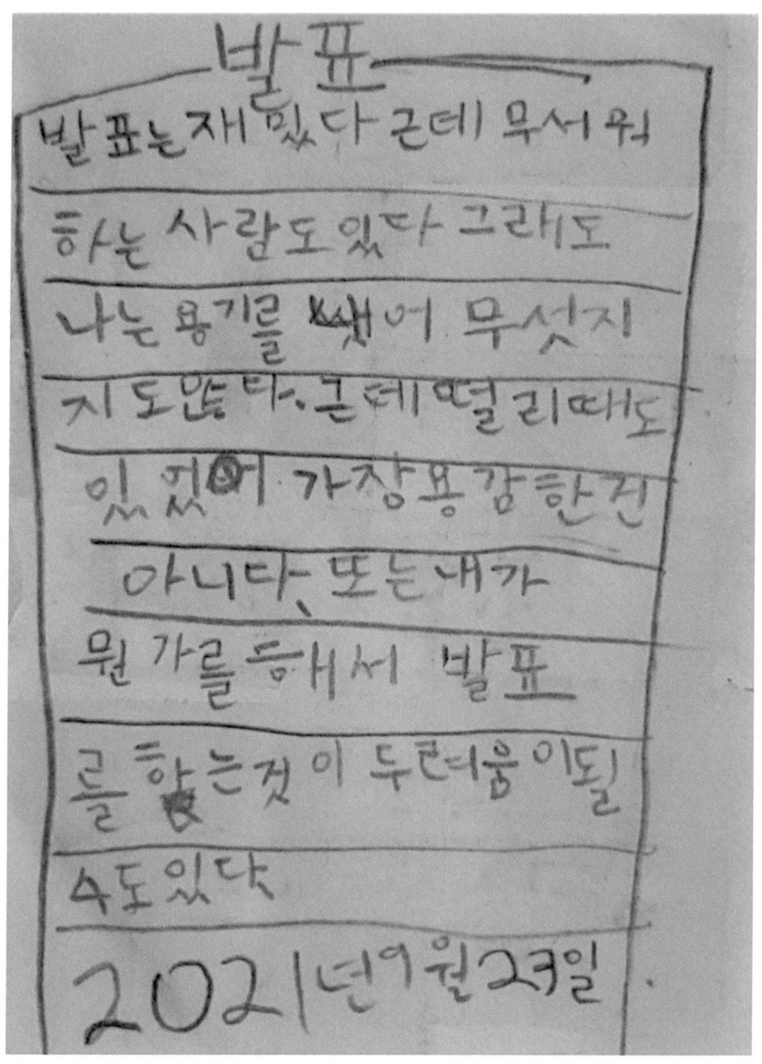

발표

발표는재밌다 근데 무서워
하는 사람도있다 그래도
나는 용기를 내어 무섯지
지도 않다. 근데 떨리때도
있 있어 가장 용감한건
아니다. 또는 내가
뭔 가를 해서 발표
를 하는것이 두려움이될
수도 있다.

2021년9월23일

발표는 재밌다 근데 무서워
하는 사람도 있다 그래도
나는 용기를 내어 무섯지
지도 않다. 근데 떨릴 때도
있었어. 가장 용감한 건
아니다. 또는 내가
뭔가를 해서 발표
를 하는 것이 두려움이 될
수도 있다.

(옮긴이 : 김미르)

엄마에게 줄 선물이 있다며 내민 '가온이의 시 나라' 미니 북에 적혀 있던 시 중 하나. 유치원 때 구연동화 발표 본식에서 울음보가 터져버렸던 경험이 있는 가온이. 발표하는 걸 두려워하는 아이가 되면 어쩌나 걱정했었는데, 오히려 그 두려움을 극복하고 발표를 즐길 줄 아는 용기 있는 아이가 되었다.

# 토마토

글 : 김가온 (7년 10개월)

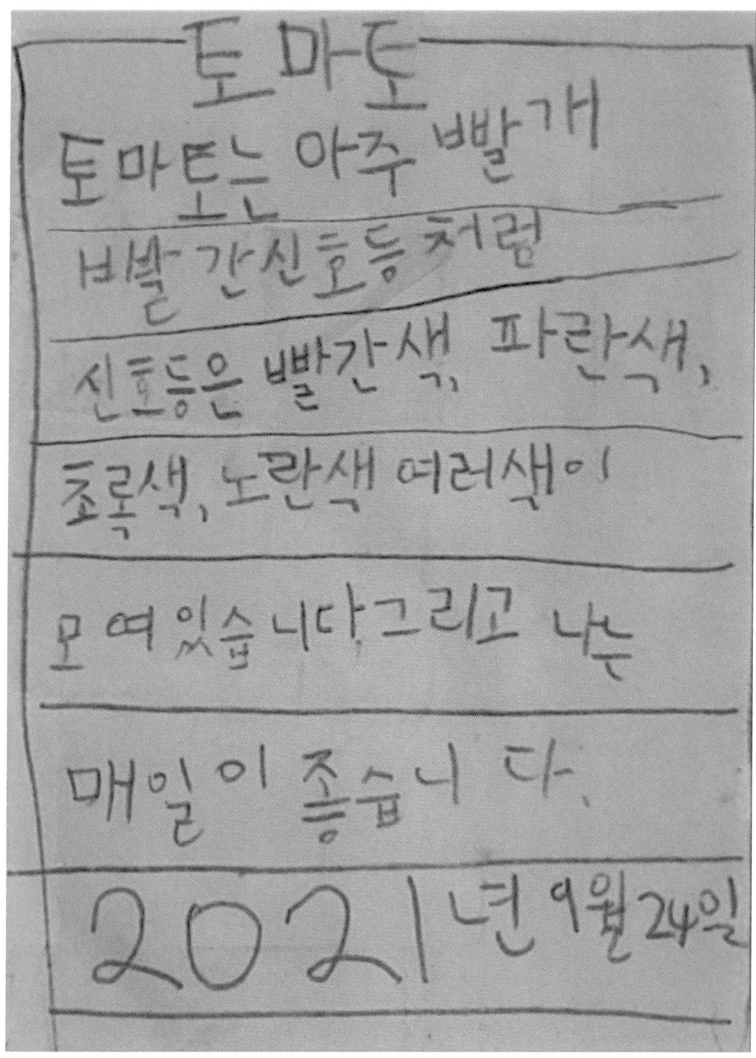

토마토

토마토는 아주 빨개

빨간 신호등처럼

신호등은 빨간색, 파란색,

초록색, 노란색 여러색이

모여 있습니다. 그리고 나는

매일이 좋습니다.

2021년 9월 24일

토마토는 아주 빨개
빨간 신호등처럼
신호등은 빨간색, 파란색,
초록색, 노란색, 여러 색이
모여 있습니다. 그리고 나는
매일이 좋습니다.

(옮긴이 : 김미르)

엄마에게 줄 선물이 있다며 내민 '가온이의 시 나라' 미니 북에 적혀 있던 시 중 하나. 등교하는 길 빨갛게 익은 방울토마토를 보고 생각나서 쉬는 시간에 지은 시란다. 예상대로 그 토마토는 하굣길 간식으로 순삭

# 하루 꽉 차는 2학년

글 : 김가온 (7년 10개월)

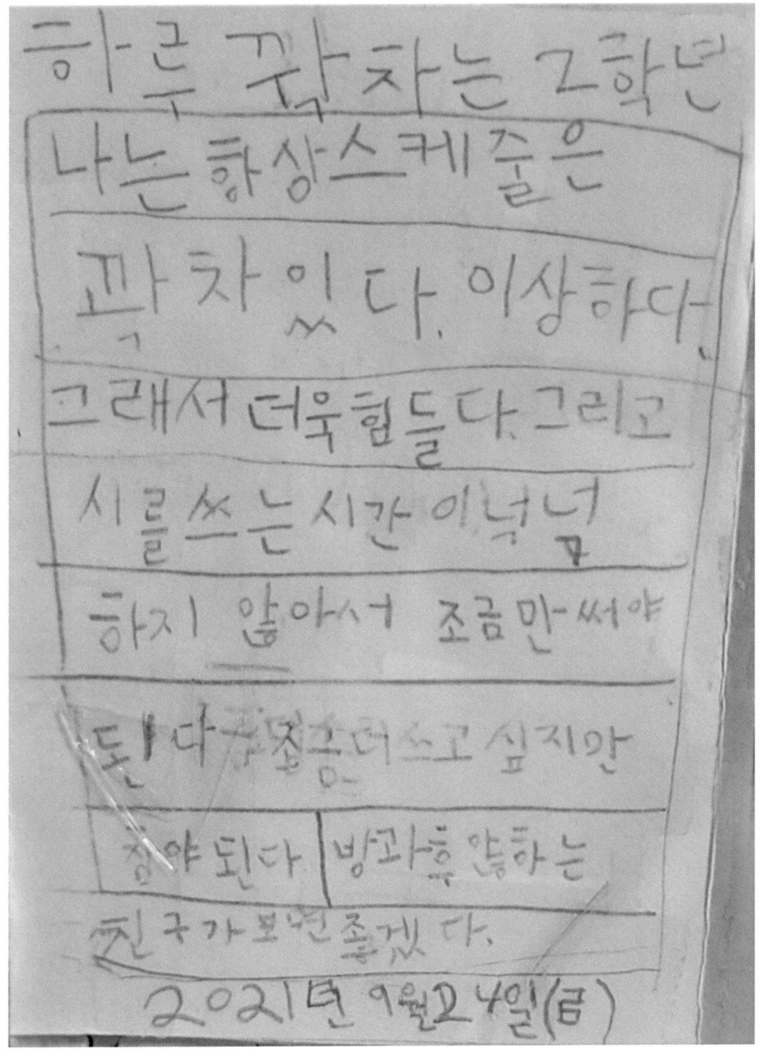

하루 꽉 차는 2학년

나는 항상 스케줄은
꽉 차 있다. 이상하다.
그래서 더욱 힘들다. 그리고
시를 쓰는 시간이 넉넉
하지 않아서 조금만 써야
된다 조금 더 쓰고 싶지만
참야 된다 방과후 안하는
친구가 보면 좋겠다.

2021년 9월 24일(금)

나는 항상 스케줄은
꽉 차 있다. 이상하다.
그래서 더욱 힘들다. 그리고
시를 쓰는 시간이 넉넉
하지 않아서 조금만 써야
된다. 조금 더 쓰고 싶지만
참아야 된다. 방과후 않하는
친구가 보면 좋겠다.

(옮긴이 : 김미르)

엄마에게 줄 선물이 있다며 내민 '가온이의 시 나라' 미니 북에 적혀 있던 시 중 하나. 엄마는'시 쓸 시간 없다'라는 구절에서 죄책감 한가득이다.

# 산타는 대체 뭘까

글 : 김가온 (8년 1개월)

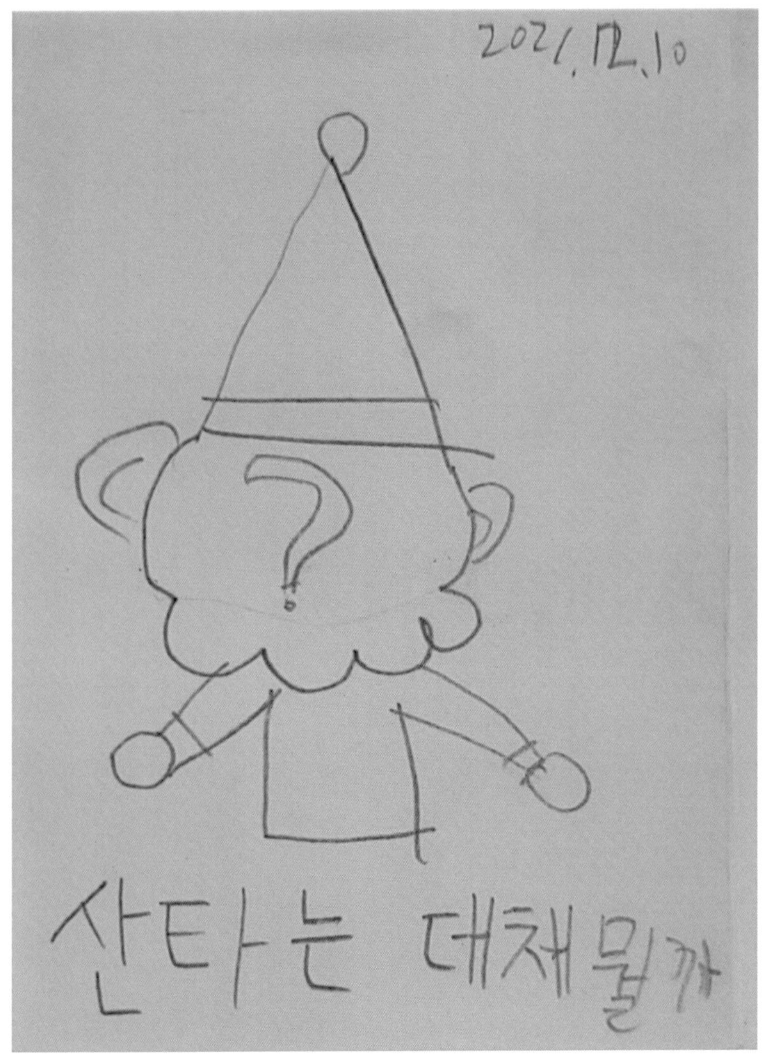

소원이 있다, 뭐냐면
산타에 정채가 궁금하
혹시 투명 인간일까
투명 인간이면
무서울 지도 몰라
(메리)
크리(스마스)

리면... 아! 혹시
간이동 할수있는 마법사
가? 그러면 마법을
하는 수가 마법사에시
꺼야 아닌가??

그럼 어떻하지?? 아!그
그거야 난 마법주문을
아니까 시험해 보는거야
자 시작! 울룰루 꿀룰루
으랏찻차 으악
역시.. 아니잖아

펑

쩔수 없지 그럼 혹시
그럼그냥 삶인가?
...
래 삶들을 모아 볼까?
니야 맞아 아니야 맞아-
-니야! 그래 좋아
리 엄마 아빠 일까?
물어 보자

아니래 그럼 애 혹시
천사 아님 요정 이 그랬나
우리 할아버지에
소환 할 수 있는 걸 요정 천사
겠어 빌려와야

이제 사용 방법만 알면 돼
아! 맞다! 할아버지가
사용법 쪽지를 주셨지!
어디 펴 보자

1. 마법 ㊅을 침대 밑에 놓습니다
2. 거기에 소금물을 뿌립니다.
3. 자고 일어나면

사용

그 에서
계속됩니다.

학교 친구들이 산타할아버지는 없다고 아빠 엄마가 선물 준비한 거라고 말했다며 진짜냐고 묻는 가온이. 산타할아버지는 믿는 사람에게만 보이는 걸 알고 있지 않냐는 엄마 · 아빠 반문에 맞다고 대답하고선, 자기 방에 들어가 만든 미니 북을 크리스마스 선물이라며 내밀었었다. 그리고선 곧 오실 산타할아버지께 편지를 쓰고 막대사탕을 함께 포장해 현관문 옆에 테이프로 꽁꽁 붙여놓았다. 그 편지에는 반 친구들은 안 믿는다고 했지만, 자신과 다온, 라온은 잘 믿고 있다며 올해도 착한 일 많이 했으니 꼭 선물 주시고 가시는 길에 사탕 드시라는 내용이 쓰여 있었다고 산타할아버지께서 가르쳐주셨다.

# 한라산 흰 사슴

글/그림 : 김가온 (8년 11개월)

2022년 10월 20일 목요일 날씨: 맑음

< 한라산 흰사슴 >

김가온

한라산 꼭대기
푹 파인 자리
누가 밟았나 보다
발자국의 물이 고여
흰사슴 뛰어 노네
갑자기 흰사슴도
눈 싸움을 하고 있네
흰사슴도 재미를
느끼나 봐

한라산 꼭대기

푹파인 자리

누가 밟았나 보다

발자국의 물이 고여

흰사슴 뛰어노네

갑자기 흰사슴도

눈싸움을 하고 있네

흰사슴도 재미를

느끼나봐

(옮긴이 : 김미르)

담임선생님께서 일기는 정해진 형식 없이 쓰고 싶은 대로 써도 된다고 했다고 행복하다는 아이, 이젠 일기로 동시를 쓰겠다는 가온이다.

# 호텔에 간 날

글(일기) : 김가온 (8년 11개월)

2022 년 10월 30일 일요일 날씨:

< 호텔에 간날 >

장소: 해비치 호텔

오늘은 엄마 아빠에 결혼기념일 1일후다.
그래서 아빠가 해비치 호텔에 가자고 했다.
그래서 갔는데 시간이 2시간이다 걸렸다.
우리는 도착하자 마자 수영장으로 뛰어 갔다.
근데 탈의실이 찜질방 같았다. 그리고 엄마가 수영장
물이 따뜻하다 고 했는데 엄청 차가웠다.
근데 물이 익숙해지면서 수영이 잘됐다
우리는 수영 연습을 했다. 왜냐면. 수영대회가
다음주 일요일 이어서 연습 하는거다.
우리들은 수영을 다하고 저녁을 먹으러 갔다.
앞에를 봤는데 뇌 케익도 있고 눈알 잼도 있었다.
밥을 다먹고, 후식을 먹어도 된다고 해서 뇌 케익과 눈알잼을
가져왔다. 눈알잼은 딸기 잼과 리치라는 열대과일과
블루베리 가 들어가있다. 리치 안에구멍이 있어서
그안에 블루베리를 넣었다. 뇌케익은 느끼 했다.
나는 생긴게 진짜 같아서 무서웠다. 그 다음우리는
오락실 에 가서 인형뽑기 를 했는데 인형뽑기는
중독성이 심한 것 같다.

오늘은 엄마 아빠에 결혼기념일 1일 후다.

그래서 아빠가 해비치 호텔에 가자고 했다.

그래서 갔는데 시간이 2시간이다 걸렸다.

우리는 도착하자마자 수영장으로 뛰어갔다.

근데 탈의실이 찜질방 같았다. 그리고 엄마가 수영장 물이 따뜻하다고 했는데 엄청 차가웠다.

근데 물이 익숙해지면서 수영이 잘됬다.

우리는 수영 연습을 했다. 왜냐면 수영대회가 다음 주 일요일이여서 연습하는 거다.

우리들은 수영을 다하고, 저녁을 먹으로 갔다. 앞에를 봤는데 뇌 케잌도 있고 눈알 잼도 있었다.

밥을 다 먹고, 후식을 먹어도 된다고 해서 뇌 케잌과 눈알 잼을 가져왔다. 눈알 잼은 딸기 잼과 리치라는 열대과일과 블루배리 가 들어가 있다. 리치 안에 구멍이 있어서 그 안에 블루배리를 넣었다. 뇌 케잌은 느끼했다. 나는 생긴 게 진짜 같아서 무서웠다. 그다음 우리는 오락실에 가서 인형뽑기를 했는데 인형뽑기는 중독성이 심한 것 같다.

(옮긴이 : 김미르)

결혼기념일 기념이 핼러윈 즈음이라 겸사겸사 아이들이 좋아하는 해비치 호텔에 가서, 더 어릴 적에는 무서워서 못 먹던 디저트들을 용기내서 종류별로 모두 먹었던 날이다.

# 수영대회 연습

글(일기) : 김가온 (8년 11개월)

2022 년 11 월 2일 수요일 날씨:

〈제목: 대회 연습〉

장소: K앤D 수영장에서

오늘 은 학원에 가는 날이다
근데 이번주 일요일이 대회 라서 준비 연습을 꾸준히 했다. 나는 무슨 을 하냐면 평영을 한다 나는 중에서 평영이 제일 좋다. 왜냐면 평영은 가볍게 할수있는데 자유형이다 접영은 힘을 꽉 줘야 해서 싫다. 평영은 다른 말로 이라고도 한다 왜냐면 처럼 뛰어서 그렇다. 우리 학원 에서는 초급 은 초급에서 약간 지난거 은 중급 은 중급 지난 은 마스터인 고수급이다 학원 선생님이 말하셨다.
2학년이나 3학년은 반이 없어서 바로 반으로 가야한단다. 이렇게 말했다. 그래서 나는 이렇게 생각했다. 2학년 도윤이는 그래서 반으로 간거구나 라고 생각했다.

1장 가온

오늘은 수영학원에 가는 날이다.

근데 이번 주 일요일이 수영대회라서 준비연습을 꾸준히 했다. 나는 무슨 수영을 하냐면 평영을 한다. 나는 수영 중에서 평영이 재일 좋다. 왜냐면 평영은 가볍게 할 수 있는데 자유영이나 접영은 힘을 꽉줘야 해서 싫다. 평영은 다른 말로 개구리 수영이라고도 한다. 왜냐면 개구리처럼 뛰어서 그렇다. 우리 학원에서는 초록색은(모자) 초급, 파랑색은(모자) 초급에서 약간 지난 거 검정색은 (모자) 중급, 흰색은(모자) 중급 지난 거 빨간색은(모자) 마스터인 고수급이다. 학원 선생님이 말하셨다. 2학년이나 3학년은 흰 모자 반이 없어서 바로 빨간 모자반으로 가야 한단다. 이렇게 말했다. 그래서 나는 이렇게 생각했다. 2학년 도윤이는 그래서 빨간 모자 반으로 간거구나 라고 생각했다.

(옮긴이 : 김미르)

수영을 시작한 지 2년 반 만에 처음 대회 출전을 준비하는 가온과 다온이였다. 며칠 후 대회 날, 낯선 깊은 수영장이 무서웠지만 포기하지 않고 끝까지 완주해서 대견함에 엄마 아빠 모두 눈물짓게 했던 큰 딸들이다.

# 승마학교 가는 날

글(일기) : 김가온 (9년 1개월)

2022 년 12월 5일 월요일 날씨:

<승마 학교 가는 날>

날짜 2022.12.3.금요일

오늘은 승마학교에 가는날 이다. 나는 화이트 초코 라는
백마 를 탄다. 애교를 많이 부려서 나하고 엄청 친하다
근데 저번주에 엄청 무서운 일이 있었다 무슨 일이 냐면
황금이라는 말은 원래 입마개를 끼고 다녀 야되는데
선생님이 안끼고 그냥 같이 데려오고 있는데 초코가
황금이한테 달라 붙어서 애교를 부리다가 황금이가 초코를 물려
이빨을 부딪쳤다 탁! 초코가 겁먹고 도망갔다 그래서 초코
눈위에 당근 얼룩 으로 만들어진 눈썹이 생겼다
근데 선생님은 황금이가 물려고 할때 초코에 고삐를
놔서 초코는 다른곳으로 뛰어갔다 선생님이 워워~ 그러자
그러자 초코는 멈춰서서 걸어갔다 왜 다른 말들이 초코를
공격하는걸 보고 내생각에는 초코가 꼿다리고 몸집이 작아서
우습게 보는것 같다.

오늘은 승마학교에 가는날이다. 나는 화이트 초코라는 백마를 탄다. 애교를 많이 부려서 나하고 엄청 친하다.

근데 저번 주에 엄청 무서운 일이 있었다.

무슨 일이냐면 황금이라는 말은 원래 입마개를 끼고 다녀야 되는데 선생님이 안 끼고 그냥 같이 데려오고 있는데 초코가 황금이한테 달라 붙어서 애교를 부리다가 황금이가 초코를 물려고 이빨을 부딪쳤다. 텁! 초코가 겁먹고 도망갔다. 그래서 초코 눈 위에 당근 얼룩으로 만들어진 눈썹이 생겼다.

근데 선생님은 황금이가 물려고 할 때 초코에 고삐를 놔서 초코는 다른 곳으로 뛰어갔다. 선생님이 워워~ 그러셨다.

그러자 초코는 멈춰서서 걸어갔다. 왜 다른 말들이 초코를 공격하는 걸 보고 내 생각에는 초코가 숏다리고 몸집이 작아서 우습게 보는 것 같다.

(옮긴이 : 김미르)

아픈 날과 학교 일정이 생긴 날 외에는 빠져본 적 없는 승마 수업. 수업 때마다 외운 말들과 강아지, 고양이까지 모든 동물 친구의 이름을 불러주며 인사를 마쳐야 집에 가겠다는 가온에게 수의사의 꿈을 갖게 한 귀한 경험들이다. 참고로 가온이의 장래 희망은 현재 7가지? (카페 사장, 아이스크림 가게 사장, 파티시에, 수의사, 아나운서, 작가, ...) 매해 계속 더 늘어나고 있다.

# 생일파티 소리

글/그림 : 김가온 (9년 1개월)

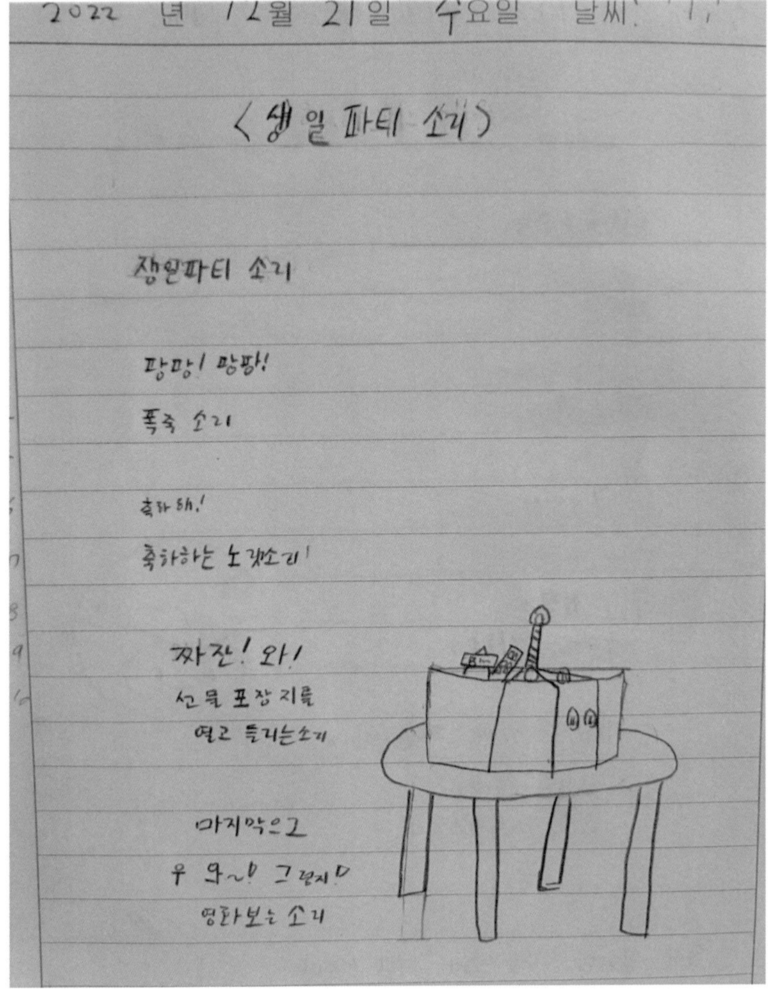

팡팡! 팡팡!
폭죽 소리

축하해!
축하하는 노랫소리!

짜잔! 와!
선물 포장지를
열고 들리는 소리

마지막으로
우와~! 그렇지!
영화보는 소리

(옮긴이 : 김미르)

반 친구 생일 초대에 다녀온 후 일기와 함께 지은 2편의 시 중 하나.

# 역할극의 소리

글/그림 : 김가온 (9년 1개월)

2022 년 12월 21일 수요일 날씨: ' , . '

< 역락극 의소리 >

역 할 극의 소리

짝짝! ~
시작하기 전에
치는 박수소리

와! 예쁘다 ~
의상이나 귀걸이
등이 귀엽거나
예쁘다고 하는소리

이제! 알겠다 저사람이야
범인을 알아서
스포 하고 싶은소리

짝짝!~
시작하기 전에
치는 박수소리

와! 예쁘다~
의상이나 귀걸이
등이 귀엽거나
예쁘다고 하는 소리

이제~ 알겠다. 저 사람이야.
범인을 알아서
스포 하고 싶은 소리

(옮긴이 : 김미르)

반 친구 생일 초대에 다녀온 후 일기와 함께 지은 2편의 시 중 나머지 시 하나. 친구들과 놀면서 생각난 시라고 한다.

# 밤송이와 털 많은 애벌레

글 : 김가온 (9년 8개월)

밤송이와 털많은 애벌레
- 2023.7.25. 독감 걸려서 학교 못간 방학식날
- 마당을 산책하면서 본 털복숭이 애벌레를 보고 생각나서 쓴 가온~~

어느 옛날 부자 김씨도련님이 살았어요.
하루는 김씨도련님이 너무 배가 고팠어요.
그래서 김씨도련님은 엄마한테 앞마당에 있는 밤나무에서 밤을 따오라고 했어요.
엄마는 바빠서못한다고 말했지요.

그러자 김씨도련님이 하인에게 밤을 따오라고 했어요.
그런데 갑자기 김씨도련님에 할머니가 하인 모두 데려가 김장을 했어요.
하인은 말했어요 "죄송합니다. 도련님"

이번에는 김씨총각이 여동생인 꽃순이에게 밤을 따오라고 했어요.
"오빠 왜?"
근데가 꽃순이는 너무 어려서 시킬수가 없었어요.
"오빠?"
"아무것도 아니야"

그래서 김씨도련님은 "그냥 내가 따오자"라고생각하며 앞마당으로 갔어요.
김씨도련님은 어리둥절 했어요.
밤을 어떻게 따는지 몰랐기때문이에요.
그래서 김씨도련님은 한참 고민에 빠졌어요.
흐음....그때 도련님은 생각이 떠올랐어요.
(무엇일까요?생각해보아요:)

바로 짚신을 손에 껴서 따는것이였어요.
도련님은 짚신을 껴서 준비를 하고있었어요.
이차!이차! 그때 털많은 애벌레가 지나가고있었어요.
준비가 다된 도련님은 밤을 땄어요.

밤을 거의다 딸 때쯤 도련님은 엄청 알록달록하고 뾰족한 밤을 보았어요.
"저거 엄청맜있겠다!!"그래서 도련님은 그 밤을 땄어요.
잠시뒤 도련님은 말했어요.
"흠 껍질을 벼껴야되는데 그냥 넣고벗기자"
도련님은 아궁이에다가 밤을 넣고 쪘어요.

다찐 다음에 열어보니
안에는 밤은 안보이고 왠 죽은 털 많은 애벌레와 밤송이 밖에 없는게 아니겠어요?

알고보니 그 알록달록한 밤송이는 털 많은 애벌레가 지나가다가 밤을 먹고 잠이 들어는데
도련님이 아궁이에 넣었을때 깨어나 다먹어 버린것이였어요.

도련님은 울면서 이렇게 말했어요.
"흑흑 시키지말고 애벌래가 오기 전에 빨리 따고
그 알록달록한 밤을 따지 않았으면 먹을 수도 있었는데
이젠 밤도없는데...."

그날부터 부터 도련님은 자신에 잘못을 깨우치며 시키지 않고 물어보며 같이 했답니다

-끝-

빠밤! 소개!!

글: 김가온

그림: 다음에

⚠ 주의: 진짜 할수있는게 아니라서 따라하지마세요.

어느 옛날 부자 김씨 도련님이 살았어요.

하루는 김씨 도련님이 너무 배가 고팠어요.

그래서 김씨 도련님은 엄마한테 앞마당에 있는 밤나무에서 밤을 따오라고 했어요.

엄마는 바빠서 못한다고 말했지요.

그러자 김씨 도련님이 하인에게 밤을 따오라고 했어요.

그런데 갑자기 김씨 도련님에 할머니가 하인 모두 데려가 김장을 했어요.

하인은 말했어요.

"죄송합니다. 도련님"

이번에는 김씨 총각이 여동생인 꽃순이에게

밤을 따오라고 했어요.

"오빠 왜?"

근데 꽃순이는 너무 어려서 시킬 수가 없었어요.

"오빠?"

"아무것도 아니야"

그래서 김씨 도련님은'그냥 내가 따오자'라고 생각하며 앞마당으로 갔어요.

김씨 도련님은 어리둥절 했어요.

밤을 어떻게 따는지 몰랐기 때문이에요.

그래서 김씨 도련님은 한참 고민에 빠졌어요.

흐음... 그때 도련님은 생각이 떠올랐어요.

(무엇일까요? 생각해 보아요.)

바로 짚신을 손에 껴서 따는 것이였어요.

도련님은 짚신을 껴서 준비를 하고있었어요.

이차!이차! 그때 털많은 애벌레가 지나가고 있었어요.

준비가 다 된 도련님은 밤을 땄어요.

밤을 거의 다 딸 때쯤 도련님은 엄청 알록달록하고 뾰족한 밤을 보았어요.

"저거 엄청 맛있겠다!!"

그래서 도련님은 그 밤을 땄어요.

잠시 뒤 도련님은 말했어요.

"흠 껍질을 벼껴야되는데 그냥 넣고벗기자"

도련님은 아궁이에다가 밤을 넣고 쪘어요.

다찐 다음에 열어보니

안에는 밤은 안보이고 왠 죽은 털 많은 애벌레와 밤송이 밖에 없는게 아니겠어요?

알고보니 그 알록달록한 밤송이는 털 많은 애벌레가 지나가다가 밤을 먹고 잠이 들어는데 도련님이 아궁이에 넣었을 때 깨어나 다먹어 버린것이였어요.

도련님은 울면서 이렇게 말했어요.

"흑흑 시키지말고 애벌레가 오기 전에 빨리 따고 그 알록달록한 밤을 따지 않았으면 먹을 수도 있었는데

이젠 밤도 없는데...."

그날부터 부터 도련님은 자신에 잘못을 깨우치며 시키지 않고 물어보며 같이 했답니다

-끝-

빠밤! 소개!!

글: 김가온

그림: 다음에

주의: 진짜 할수있는게 아니라서 따라하지마세요.

(옮긴이 : 김미르)

독감 걸려서 학교에 못 간 여름 방학식 날, 마당을 산책하면서 본 털복숭이 애벌레를 보고 생각난 거라며 한참을 핸드폰 메모장에 쓴 글이다. 밤새 고열과 기침에 시달렸는데 다행히 잘 먹고 잘 놀아서인지 금방 회복했었다.

# 루자에게

글/그림 : 김가온 (10년 1개월)

2023,12,18 날씨 : -루자에게-

안녕? 루자야> 난 가온이라고 해
난 너의 이야기를 읽고 편지를썼어. 루자야 너는
투발루와 같이 떠나지 못했을때에 든생각 말이야 나도
너였으면 그런생각이들었을 것같아. 그리고 나때문에 [illegible]
죽으면 어떡하지? 라는 죄책감이 들것같아. 나도 그런적이
많거든 한가지는 태풍이 왔을때 내가불을 다끄고 호텔에가
내가 키우는 금붕어가 산소공급이 안되고 밥도못먹어서 집으로
다시돌아와 보니 2마리 빼고 다죽어버린거야, 그때 죄책감
들었어, 내가얘기 하는건 여기까지야, 그럼 투발루를 다시 만날수
있도록 빌게 그럼 안녕

-투발루와 루자가 만날수있게 비는 가온이가-

안녕? 루자야? 난 가온이라고 해

난 너의 이야기를 읽고 편지를 썼어.

루자야 너는 투발루와 같이 떠나지 못했을때에 든 생각 말이야. 나도 너였으면 그런 생각이 들었을 것 같아. 그리고 나 때문에 죽으면 어떡하지? 라는 죄책감이 들 것 같아. 나도 그런 적이 많거든. 한가지는 태풍이 왔을 때 내가 불을 다 끄고 호텔에 가서 내가 키우는 금붕어가 산소공급이 안돼고 밥도 못먹어서 집으로 다시 돌아와 보니 2마리 빼고 다 죽어 버린거야. 그때 죄책감이 들었어. 내가 얘기하는 건 여기까지야. 그럼 투발루를 다시 만날 수 있도록 빌게. 그럼 안녕

- 투발루와 루자가 만날 수 있게 비는 가온이가

(옮긴이 : 김미르)

4학년 겨울, 학교 수업 중에 썼다는 편지를 집에 들고 와 보여주는 가온. 아마도 지구온난화의 심각성을 가르치기 위한'투발루에게 수영

을 가르칠 걸 그랬어'라는 그림책에 나오는 주인공에게 쓴 편지인 듯하다. 그리고 같은 해 추석을 며칠 앞두고 근처 해안가에 해일 발생이 우려된다는 태풍경보에 중산간 호텔로 대피했던 그 날의 기억... 해일로 인한 침수가 우려돼 스위치를 끄고 가서 발생한 참사... 온가족이 죄책감을 안고 금붕어 친구들을 마당 저편에 묻어주었었다.

# 민들레

글/그림 : 김가온 (10년 1개월)

나 민들레 꽃이 피면
아이들은 나를 호 호 불어요
그때 나는 바람을 타고 날아
땅에 내려요
그러고는 땅과 한몸이
되지요.

(옮긴이 : 김미르)

4학년 겨울 방학식 하기 3일 전날(24년 1월 2일), 학교에서 쓴 시라며 들고 와서 자랑하던 가온이 눈에 선하다. 며칠 전 집 앞마당에서 민들레 홀씨를 날리던 일을 생각하면서 지었단다.

# 핑크빛 손님

글/그림 : 김가온 (10년 5개월)

핑크빛 손님

김가온

햇살이 따뜻한 날
바람이 휘이잉 휘잉
멋지게 핑크빛 으로 옷을 입은 손님이 왔어요
손님이 움직이니 가볍게 떨어진 핑크빛이 날아갔어요
그후에 지나가던 사람들이
핑크빛을 잡고선 웃어요
핑크빛은 특별 한가봐요.

햇살이 따뜻한 날

바람이 휘이잉 휘잉

멋지게 핑크빛으로 옷을 입은 손님이 왔어요

손님이 움직이니 가볍게 떨어진 핑크빛이 날아갔어요

그후에 지나가던 사람들이

핑크빛을 잡고선 웃어요

핑크빛은 특별 한가봐요.

(옮긴이 : 김미르)

5학년이 되고 한 달 뒤, 학부모 공개수업을 준비하며 지은 거라고 선생님께서 공유해주신 가온이의 시. 집에 돌아와 벚꽃 보고 지은 시였다며 뿌듯함에 어깨 으쓱하는 딸, 대견해

2장.

# 다온

## 발도장

그림: 김다온 (1년 7개월)

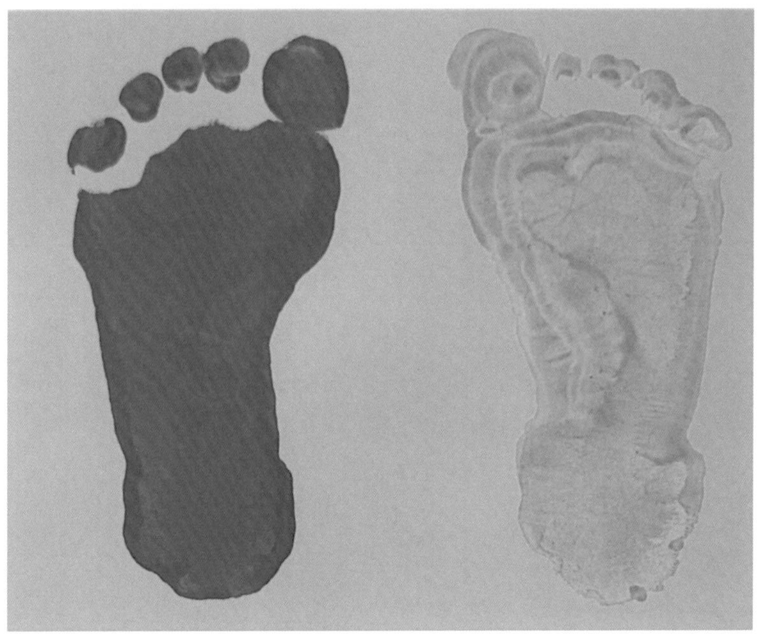

몸에 무언가를 묻히는 것은 엄청 싫어했으면서도 물감만 보이면 그게 어디든 무조건 손과 발 도장을 찍어대던 다온이가 어린이집에서 만들어 왔던 작품이다. 이 작품을 보고 있노라면 인큐베이터 안에서 눈을 깜박이며 엄마를 봐주던 작고 여린 다온이가 생각난다. 그땐 정말 조막만 한 아기 원숭이 같아서 그리고 미안해서 울었었는데, 이렇게 잘 커 주고 있어 감사하고 또 감사하다.

# 울라프

그림: 김다온 (3년 10개월)

겨울을 좋아하는 아이, 그래서 울라프랑 눈싸움하고 싶다던 다온이가 그린 그림이다.

# 바다

그림: 김다온 (4년 3개월)

어릴 적부터 엄마처럼 파랑이 가장 좋다는,

그래서 바다와 밤하늘이 가장 좋다고 말하는 다온이가 물감으로 그린 그림이다.

# 되고 싶은 것

그림/글 : 김다온 (5년 1개월)

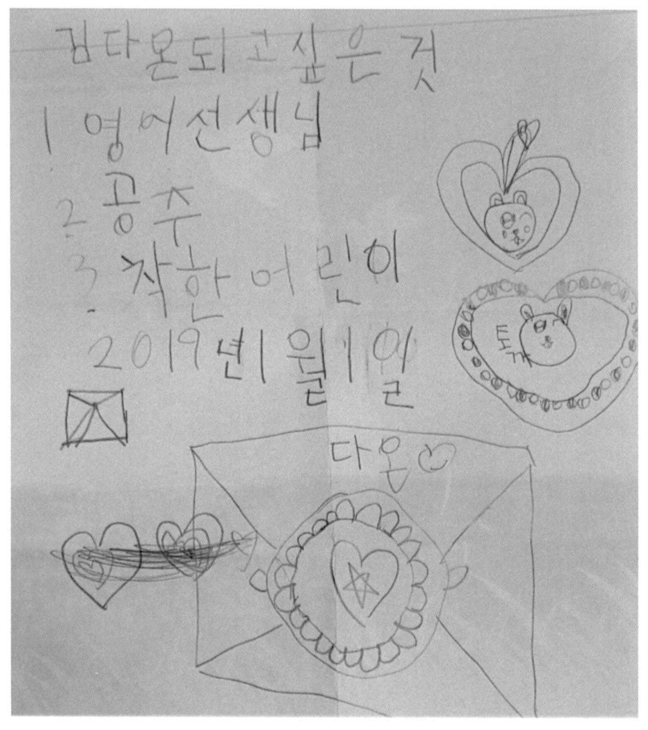


2019년 새해 첫날, 커서 이루어졌는지 궁금하다며 그때까지 엄마가 꼭 보관해달라고 내밀던 '달님에게 빈 소원 편지'였다. 일 년 뒤 함께 펴보고 다시 보관 중이다. 펴보기 전까지는 영어 선생님과 공주가 되고 싶어 했을 줄은 몰랐었다. 엄마에게도 비밀이었던 다온이의 장래 희망들, 이미 두 번째와 세 번째는 이루어졌으니 첫 번째도 마저 이루어질지 지켜봐야겠다.

# 라온이 생일 선물

그림: 김다온 (5년 3개월)

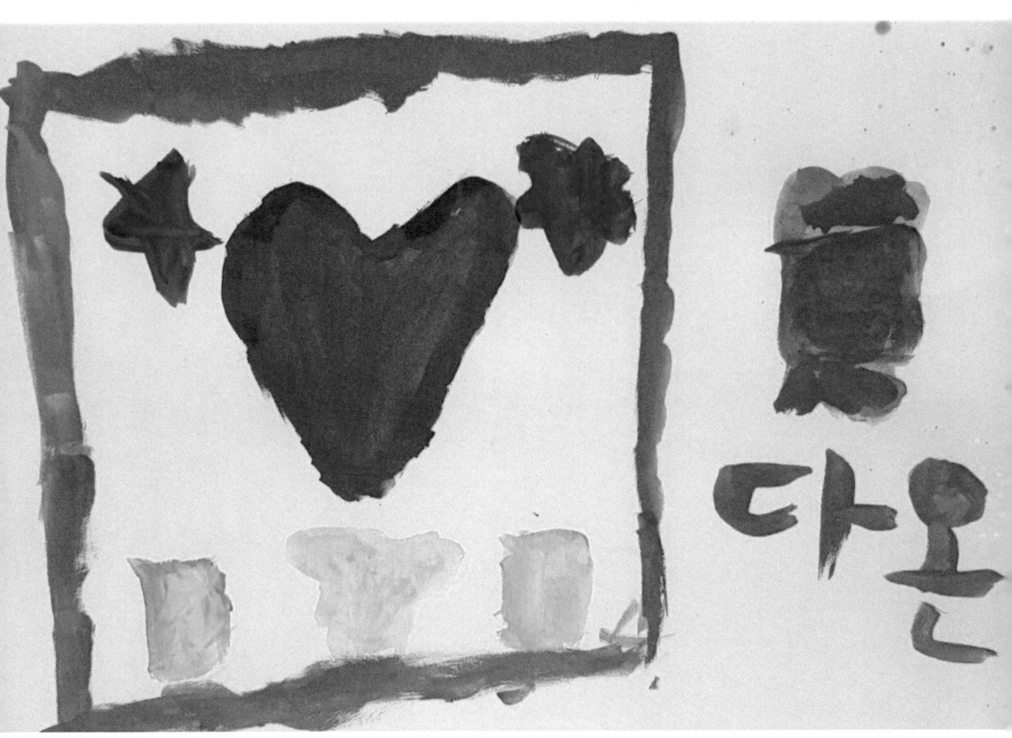


다온이에게 항상 그림 그려달라며 쫓아다니는 라온이의 생일 선물로 준비한 그림. 며칠 후 라온이 생일에 아껴둔 사탕 2개와 함께 선물했다. 다온언니에게 받은 '선물 그림' 선물이라며 라온이가 친구들에게 엄청 자랑했던 선물이다.

# 나 그리고 아빠 엄마

그림/글 : 김다온 (5년 4개월)

어느 날 문득 엄마에게 주고 싶어서 준비한 선물이라며 짠! 하고 보여주는 다온. "엄마 아빠도 사랑해!"

# 어린이날

그림/글 : 김다온 (5년 5개월)

어린이날을 맞아 야외에서 실컷 뛰놀고 맛있는 식사와 좋아하는 디저트 카페도 다녀와서 행복했던 하루라며 다온이가 그려준 엄마 선물이다. 새들도 행복해서 콧노래를 한단다.

# 놀라다

그림/글 : 김다온 (5년 9개월)

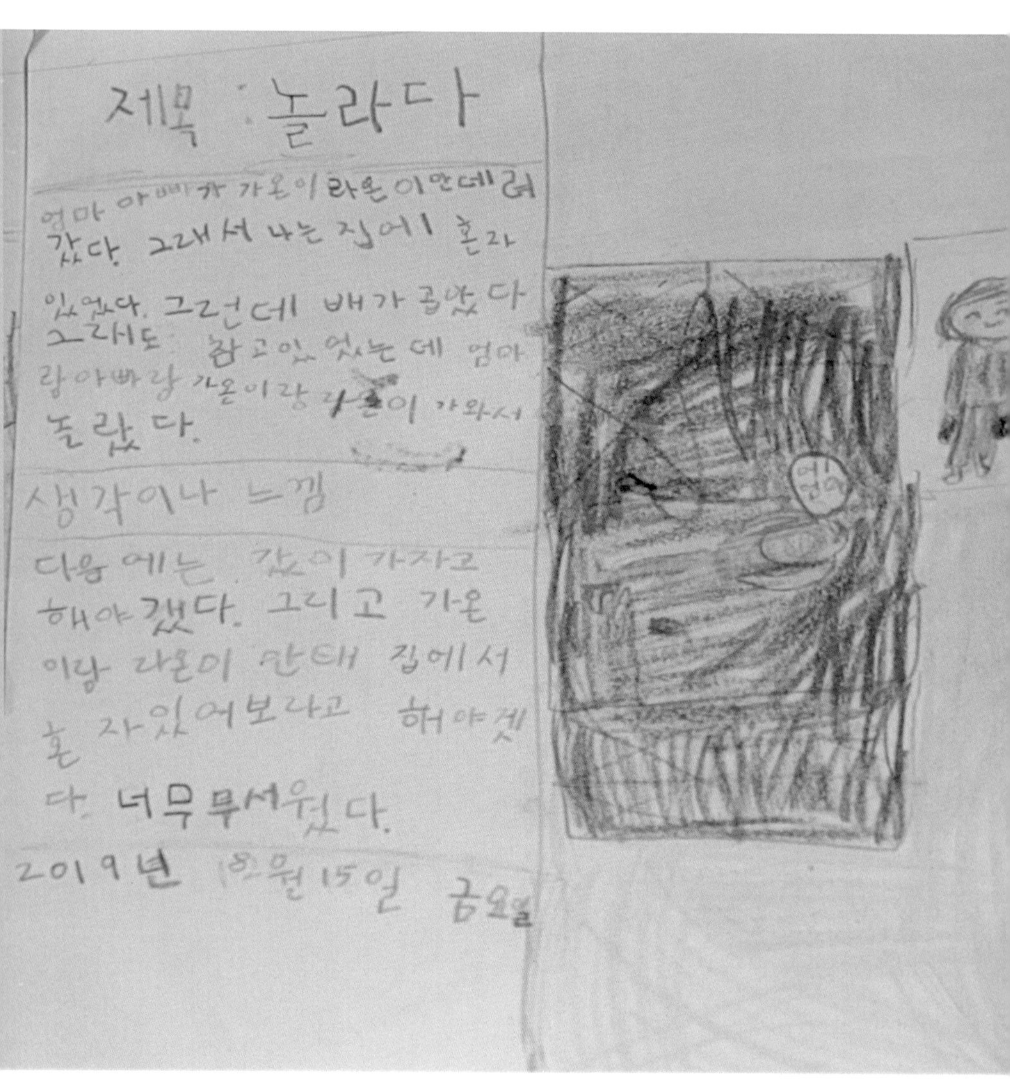
제목 : 놀라다
엄마 아빠가 가온이 라온이만 데려
갔다. 그래서 나는 집에 혼자
있었다. 그런데 배가 고팠다
그래도 참고있었는데 엄마
랑아빠랑 가온이랑 라온이 가와서
놀랐다.
생각이나 느낌
다음에는 같이 가자고
해야겠다. 그리고 가온
이랑 라온이 한테 집에서
혼자있어보라고 해야겠
다. 너무무서웠다.
2019년 10월 15일 금요일

엄마아빠가 가온이 라온이만 데려갔다.

그래서 나는 집에 혼자 있었다. 그런데

배가 곱았다. 그래도 참고 있었는데 엄마랑 아빠랑 가온이랑 라온이가 와서 놀랐다.

〈생각이나 느낌〉

다음에는 갔이 가자고 해야갰다. 그리고

가온이랑 라온이 한태 집에서 혼자 있어 보라고 해야겠다. 너무 무서웠다.

(옮긴이 : 김미르)

동네 마트에 장 보러 가는데 읽던 책을 끝까지 읽고 싶다며 따라가지 않겠다던 다온이가 처음 혼자서 집에 남아 있던 날. 이제 컸구나 생각하면서도 혼자만 있는 게 걱정되고 무서워 부랴부랴 돌아온 날이다.

# 곰돌이 시계

그림 : 김다온 (6년 5개월)

새벽 1시 50분, 육지로 출장 간 아빠가 올 때까지 가온이와 함께 안 자고 기다리며 그린 그림. 비행기 연착으로 우여곡절 끝에 돌아온 아빠를 보자마자 안도감 때문인지 1분 만에 잠들어버렸었다.

# 오늘은 특별한 날

글(일기) : 김다온 (6년 9개월)

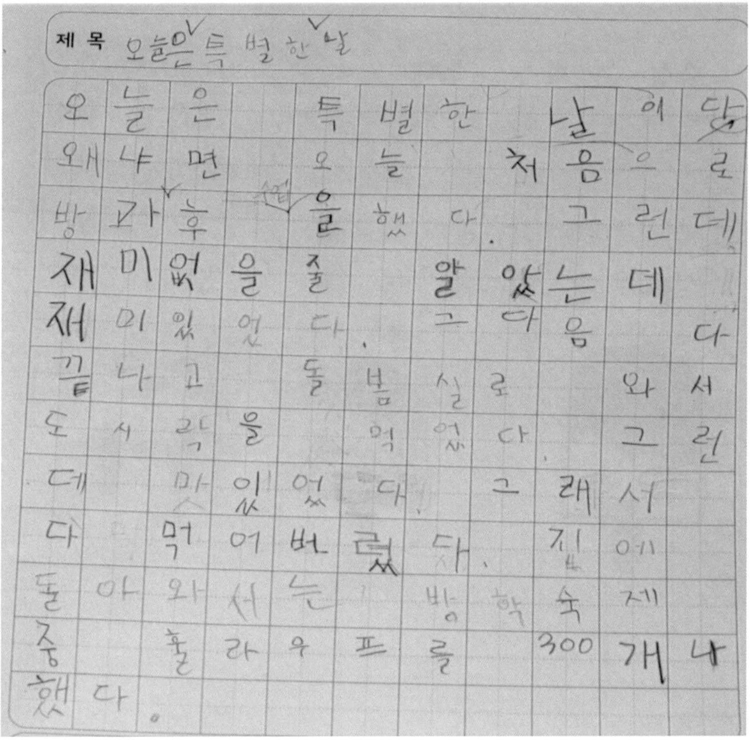
제목 오늘은 특별한 날

오늘은 특별한 날이다
왜냐면 오늘 처음으로
방과후 수업을 했다. 그런데
재미없을 줄 알았는데
재미있었다. 그다음 다
끝나고 돌봄실로 와서
도시락을 먹었다. 그런
데 맛있었다. 그래서
다 먹어버렸다. 집에
돌아와서는 방학숙제
중 훌라우프를 300개나
했다.

오늘은 특별한 날이다.

왜냐면 오늘 처음으로 방과후 수업을 했다. 그런데 재미없을 줄 알았는데 재미있었다.

그다음 다 끝나고 돌봄실로 와서 도시락을 먹었다. 그런데 맛있었다. 그래서 다 먹어버렸다. 집에 돌아와서는 방학숙제 중 훌라우프를 300개나 했다.

(옮긴이 : 김미르)

친구들이 학교 돌봄 도시락은 웩~이라고 했다며 절대 먹지 않겠다고 했던 다온. 그러나 코로나 사태가 완화되고 시작한 방학 돌봄에서 도시락을 먹은 첫날, 엄청 맛있어서 또 학교 가고 싶다고 말하며 라온이에게 자랑하던 그날의 모습이 떠오른다.

# 엄마가 아이스티를 사준 날

그림/글(일기) : 김다온 (6년 9개월)

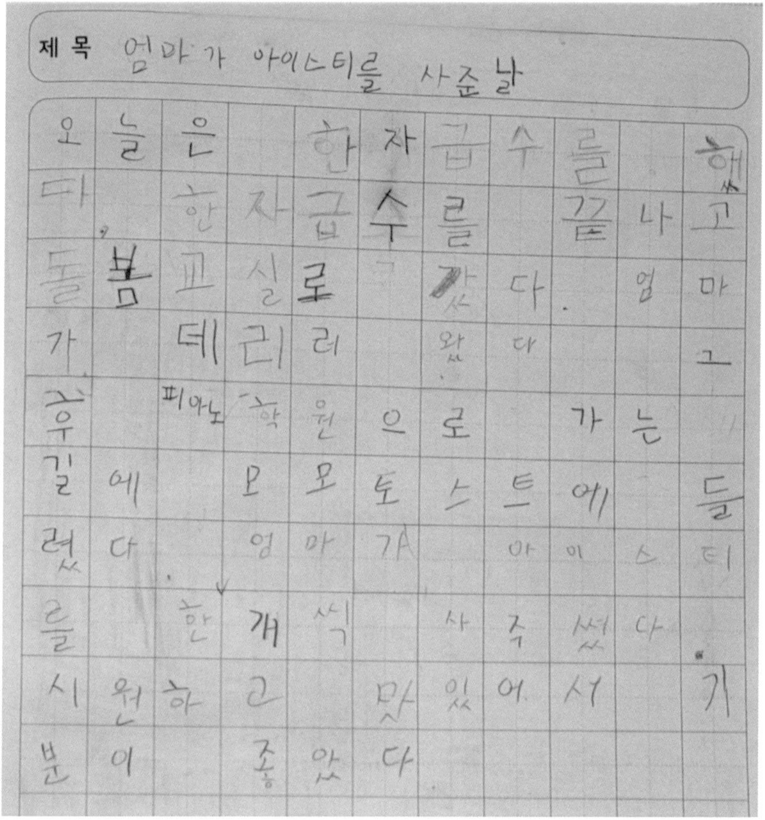
제목 엄마가 아이스티를 사준날

오늘은 한자급수를 했다. 한자급수를 끝나고 돌봄교실로 갔다. 엄마가 데리러 왔다. 그후 피아노학원으로 가는 길에 모모토스트에 들렸다. 엄마가 아이스티를 한개씩 사주셨다. 시원하고 맛있어서 기분이 좋았다.

오늘은 한자급수를 했다.

한자급수를 끝나고 돌봄교실로 갔다.

엄마가 데리러 왔다.

그 후 피아노학원으로 가는 길에
모모토스트에 들렸다.
엄마가 아이스티를 한 개씩 사주셨다.
시원하고 맛있어서 기분이 좋았다.

(옮긴이 : 김미르)

코로나 사태가 완화되어 방과 후 수업과 돌봄도 해보고, 학원까지 다녀보면서 진짜 온전한 초등학교 생활을 처음 경험하던 시절. 무더운 여름, 얼음 가득 아이스티를 즐기며 학원까지 걸어가던 2분간의 행복

2020년
8 월 19 일 수 요일
날씨
어난 시간 8 시
잠자는 시간 10 시

# 비가 많이 오고 천둥 번개가 친 날

그림/글(일기) : 김다온 (6년 9개월)

오늘은 라디오를 가지러갔다가

안과를 가고 있었는데 비가 많이 오고

천둥 번개가 쳐서 깜짝 놀랐다.

뛰어가다가 비를 맞았다.

안과선생님을 만나려면 2시까지

기다려야해서 우리 가족은 스테이크를

먹으러갔다. 쥬스하고 콜라도 조금 마셨다.

(옮긴이 : 김미르)

태풍급 날씨에도 불구하고 일요일 아침 일어나자마자 눈이 따갑다고 우는 다온이를 데리고 문 연 안과를 찾아 제주시로 달려갔었다. 간신히 접수는 성공했지만, 대기시간이 길어져 배고픔에 기력 없는 아이들을 데리고 제주에 하나뿐인 패밀리레스토랑 V⋆⋆s를 방문했던 날. 진료 시간이 임박해 아이들만 얼른 먹이고 남편과 나는 먹는 둥 마는 둥 빠져나와 짧은 진료를 끝으로 차로가 보이지 않는 평화로를 지나 폭풍우를 헤치며 집으로 돌아왔었다.

2020년
번개
8 월 22 일 토 요일
날씨
일어난 시간 9 시 00 분
잠자는 시간 10 시

# 심심하고 재미없는 날

글(일기) : 김다온 (6년 9개월)

제목 : 심심하고 재미없는 날

오늘은 아침에 아무 것도 하지 않았다. 아침에 일찍 일어났다. 태풍이 와서 학교에 못 갔다. 대신 집에서 가온이랑 나랑 라온이랑 엄마한테 말해서 엄마가 밀가루 반죽 놀이를 할 수 있게 준비해 주셨다. 그래서 빨간색과 파란색 물감을 해서 다

오늘의 착한일은?

일찍 일어났다.

[THE RED] for Kids

오늘은 아침에 아무 것도 하지 않았다.

아침에 일찍 일어났다.

태풍이 와서 학교에 못 갔다. 대신 집에서 가온이랑 나랑 라온이랑 엄마한테 말해서 엄마가 밀가루 반죽놀이를 할 수 있게 준비해 주셨다. 그래서 빨간색과 파란색 물감을 했다.

(옮긴이 : 김미르)

태풍 오는 날이 가장 무서운 바닷가 시골집... 아이들도 천둥과 바람 소리가 무서웠는지 새벽부터 일어나 긴 하루였다. 다행히 정전이나 단수가 되는 불상사 없이 지나갔지만, 케이블이 끊어져 TV와 인터넷이 불통인 탓에 새로운 놀거리가 필요했다. 평소와 달리 그림 그리기, 책 읽기로는 해갈되지 않아 펼쳐놓은 밀가루 반죽 놀이로 하루를 마저 보낼 수 있었던 날이었다.

# 커서 내가 살 집

그림/글 : 김다온 (7년 6개월)

가 그린 집은 3층 집 입니다.

가 그린 집은 티비와 화장실 무실이 책과 책상에 개쉬 있습니다.

리고 3층에는 엄마와 아빠를 부를 수 있는 벨이 있습니다.

고 2층에는 가온이 와 다온이 그리고 나를 부를수 있는 벨이

니다. 그리고 재가 그린 집은 무서울 때 옆으로

면 벽쪽에 문이 있습니다 저문은 각각 있습니다.

요첩을 할수 있게 그렸습니다 주차장은 잘안 보일수도

니다 수영장과 잔디도 있습니다. 이게 제가 만든

집입니다.

안녕하세요. 김다온입니다. 지금부터 제가 그린 그림을 지금 소개 하겠습니다.

안녕하세요, 김다온입니다.

지금부터 제가 그린 그림을 지금부터 소개하겠습니다.

제가 그린 집은 3층 집입니다.

제가 그린 집은 티비와 화장실, 욕실이 3층과 2층에 1개씩 있습니다. 그리고 3층에는 엄마와 아빠를 부를 수 있는 밸이 있습니다.

그리고 2층에는 가온이와 라온이 그리고 나를 부를 수 있는 밸이 있습니다. 그리고 제가 그린 집은 방이 각각 있습니다. 잘 보면 벽쪽에 문이 있습니다. 저 문은 무서울 때 옆으로 가 요청을 할 수 있게 그렸습니다. 주차장은 잘 안 보일 수도 있습니다. 수영장과 잔디도 있습니다. 이게 제가 만든 집입니다.

(옮긴이 : 김미르)

아이들이 점점 크면서 화장실과 침실 쟁탈전하는 날이 많아졌다. 살고 있던 구옥을 고쳐야 할지, 2층을 올려야 할지, 부수고 새로 지어야 할지 고민하던 시절이다. 아이들에게도 의견을 물어보자는 의미로 자기가 생각하는 집을 그리고 발표하는 날, 다온이가 준비한 설계도와 설명글이다.

다윤이 방
가윤이 방
이층침대
화장실
욕실
문
거실
화장실
주방
욕실
거실
신발장
잔디
(마당)
수영장

# 어버이날 편지

그림/글 : 김다온 (8년 5개월)

엄마 아빠께

엄마 아빠 저 다온이에요.
엄마와 아빠는 제게 소중한 존재에요.
엄마는 맑고 밝아서 하늘이고
아빠는 넓고 깊아서 바다입니다.
엄마 아빠는 없어서는 안돼요.
왜냐면 엄마와 아빠는 나의 빈자리를 채워주니까요.
엄마 아빠 사랑해요.

2022년 5월 3일 화요일

-김다온 올림-

엄마 아빠께

엄마 아빠! 저 다온이에요.

엄마와 아빠는 제게 소중한 존재에요.

엄마는 맑고 밝아서 하늘이고

아빠는 넓고 맑아서 바다입니다.

엄마 아빠는 없어서는 안돼요.

왜냐면 엄마와 아빠는 나의 빈자리를 채워 주니까요.

엄마 아빠 사랑해요.

(옮긴이 : 김미르)

다온아, 네 마음을 표현해 줘서 고마워!

너는 그리고 너희(가온, 라온)는 엄마 아빠에게 삶의 길잡이가 되어 주는 반짝반짝 별들이란다. 다온, 가온, 라온! 사랑하고 또 사랑한다 ~

# 아찔한 롤러코스터

그림/글(일기) : 김다온 (8년 11개월)

2022년 10월 16일 일요일 날씨: 맑음

제목: 아찔한 롤러코스터

오늘은 친구들과 신화월드에 놀러 갔다.
그곳은 사람이 많은 곳 처처럼 놀이기구가 많았다.
나는 무서워서 안 무서운 놀이기구를 타며 오후를 기다내며
놀았다. 이제 점심 시간이다. 식당에 갔는데 떡볶이와
돈가스가 우리를 기다리고 있었다. 우리는 떡볶이와 돈가스를
다 먹었다. 정말 맛있었다. 나는 힘이 넘쳐서 놀이기구를
또다시 계속 탔다. 그런데 민지, 예은이, 민조언니, 호준이 박
오빠가 다 같이 롤러코스터를 재밌고 신나게 타고
있었다. 나는 무서웠지만 용기를 내어 롤러코스터를
같이 타러 갔다. 시작했다. "꺄아악!"
나는 마음 속으로 말했다. '무섭워! 그래도 재밌다!' 라고
그때 갑자기 롤러코스터가 회전 했다. 그때
나는 몸이 앞으로 쏠려서 무서웠다. 이제 끝이다.
원래 그건 1분 밖에 안되는데 나한테는 시간이
너무 길었다. 나는 롤러코스터를 타다가 코를 박아서
아팠지만, 재미있 했다.

오늘은 친구들과 신화월드에 놀러 갔다.

그곳은 사람이 많은 것처럼 놀이기구가 많았다. 나는 무서워서 안 무서운 놀이기구를 타며 오후를 기다리며 놀았다. 이제 점심시간이다. 식당에 갔는데 떡볶이와 돈가스를 다 먹었다. 정말 맛있었다. 나는 힘이 넘쳐서 놀이기구를 또다시 계속 탔다. 그런데 민지, 예은이, 민조언니, 호준이 오빠가 다 같이 롤러코스터를 재밌고 신나게 타고 있었다. 나는 무서웠지만 용기를 내어 롤러코스터를 같이 타러 갔다. 시작했다. "꺄아악!"

나는 마음속으로 말했다. '무섭워! 그래도 재밌다!'라고

그때 갑자기 롤러코스터가 회전했다. 그때 나는 몸이 앞으로 쏠려서 무서웠다. 이제 끝이다. 원래 그건 1분 밖에 안되는데 나한테는 시간이 너무 길었다. 나는 롤러코스터를 타다가 코를 박아서 아팠지만 짜릿했다.

(옮긴이 : 김미르)

엄마처럼 겁이 많아 놀이기구를 잘 못 타던 온자매들. 그런데 친구들과의 동행이 아이들에게 많은 용기와 행복을 주었던 하루, 처음으로 온자매들 모두 롤러코스터를 도전한 역사적인 날! 심지어 2번 이상

을 탔단다. 그리고 마저 테마파크 안의 모든 놀이기구를 처음 정복한 날이기도 하다. 모두 해질 때까지 다치지 않고 웃으며 놀아서 행복했던 날, 엄마도 기억할게.

# 젤리

그림/글(일기) : 김다온 (10년 2개월)

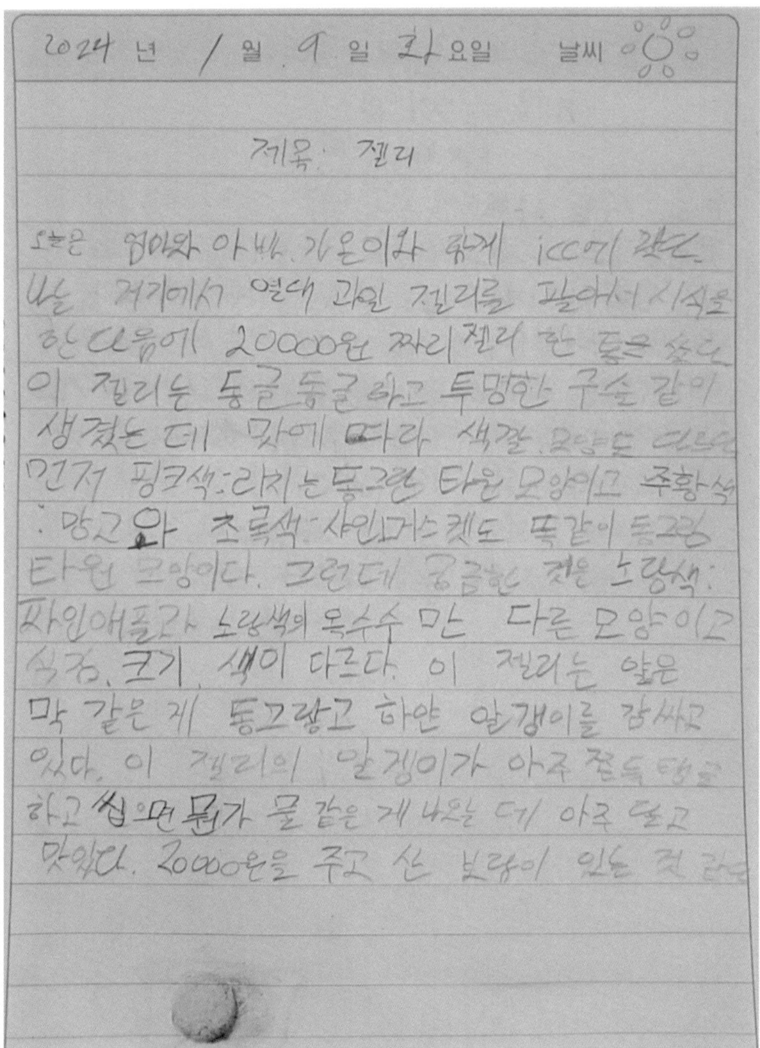
2024 년 1 월 9 일 화 요일 날씨

제목: 젤리

오늘은 엄마와 아빠, 가온이와 함께 icc에 갔다.
나는 거기에서 열대 과일 젤리를 팔아서 시식을
한 다음에 20000원 짜리 젤리 한 통을 샀다.
이 젤리는 동글 동글 하고 투명한 구슬 같이
생겼는데 맛에 따라 색깔, 모양도 다르다
먼저 핑크색:리치는 동그란 타원 모양이고 주황색
:망고와 초록색:샤인머스켓도 똑같이 동그란
타원 모양이다. 그런데 궁금한 것은 노랑색:
파인애플과 노랑색의 옥수수 만 다른 모양이고
식감, 크기, 색이 다르다. 이 젤리는 얇은
막 같은 게 동그랗고 하얀 알갱이를 감싸고
있다. 이 젤리의 알갱이가 아주 쫀득 탱글
하고 씹으면 뭔가 물 같은 게 나오는데 아주 달고
맛있다. 20000원을 주고 산 보람이 있는 것 같은

오늘은 엄마와 아빠, 가온이와 함께 ICC에 갔다. 나는 거기에서 열대과일 젤리를 팔아서 시식을 한 다음에 20000원 짜리 젤리 한 통을 샀다. 이 젤리는 동글동글하고 투명한 구슬 같이 생겼는데 맛에 따라 색깔, 모양도 다르다. 먼저 핑크색: 리치는 동그란 타원 모양이고 주황색: 망고와 초록색: 샤인머스켓도 똑같이 동그란 타원 모양이다. 그런데 궁금한 것은 노란색: 파인애플과 노랑색의 옥수수만 다른 모양이고 식감, 크기, 색이 다르다. 이 젤리는 얇은 막 같은 게 동그랗고 하얀 알갱이를 감싸고 있다. 이 젤리의 알겡이 아주 쫀득 탱글하고 씹으면 뭔가 물 같은 게 나오는 데 아주 달고 맛있다. 20000원을 주고 산 보람이 있는 것 같다.

(옮긴이 : 김미르)

온자매네 가족이 제주 식품박람회 잇수다를 방문한 날. 각자 자기 용돈으로 원하는 간식 등을 사도 좋다고 허락했었다. 다들 용돈이 아깝다며 망설이는데 시식해 본 젤리가 엄청 마음에 들었는지 다온이가 거금 2만 원을 선뜻 지출했다. 평소 몇백 원도 아까워 잘 안 쓰던 아이라 의아했었다. 집에 돌아와 나눠달라고 졸라대는 식구들 때문에 난

감해하는 다온이를 위해 1개에 500원씩 사 먹기로 했다. 파는 사람, 사는 사람 모두 만족해하며 2~3주 동안 온 가족이 나눠 먹었었다. 4개를 사면 1~2개를 덤으로 준 덕분에 젤리 가게는 폐업 날까지 문전성시를 이루고 5천 원 매출을 올렸었다. 이 일은 우리 가족 모두에게 오래도록 기억될 것이다.

# 폭설

글(일기) : 김다온 (10년 2개월)

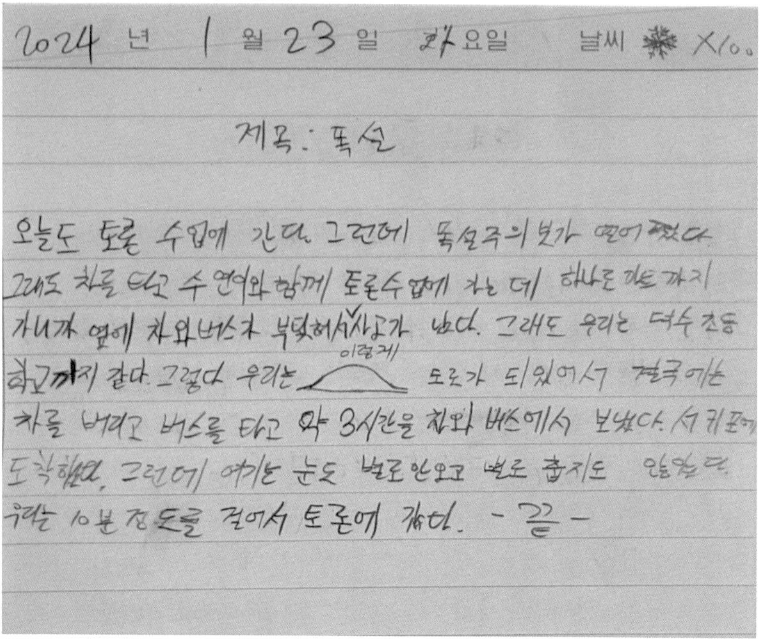

2024 년 1 월 23 일 화 요일 날씨 ❄ X10.

제목: 폭설

오늘도 토론 수업에 간다. 그런데 폭설주의보가 떨어졌다.
그래도 차를 타고 수연이와 함께 토론수업에 가는데 하나로마트까지
가니까 옆에 차와버스가 부딪혀서 사고가 났다. 그래도 우리는 덕수초등
학교까지 같다. 그렇다 우리는 이렇게 도로가 되있어서 결국에는
차를 버리고 버스를 타고 약 3시간을 차와 버스에서 보냈다. 서귀포에
도착했다. 그런데 여기는 눈도 별로 안오고 별로 춥지도 않았다.
우리는 10분 정도를 걸어서 토론에 갔다. - 끝 -

오늘도 토론 수업에 간다. 그런데 폭설주의보가 떨어졌다. 그래도 차를 타고 수연이와 함께 토론 수업에 가는데 하나로마트까지 가니까 옆에 차와 버스가 부딪혀서 사고가 났다. 그래도 우리는 덕수초등학교까지 같다. 그렇다. 우리는 이렇게 (도로에 얼음이 얼어) 도로가 되있어서 결국에는 차를 버리고 버스를 타고 약 3시간을 차와 버스에서 보냈다. 서귀포에 도착했다. 그런데 여기는 눈도 별로 안오고 별로 춥지

도 않았다. 우리는 10분 정도로 걸어서 토론에 갔다.

(옮긴이 : 김미르)

서귀포학생문화원에서 겨울방학 5일 동안 진행되었던 초등토론아카데미 2일째. 갑자기 내린 폭설로 도로가 얼어붙어 출발부터 조마조마했었다. 함께 참여하는 가온이 친구와 목감기 걸려 이비인후과 진료가 필요했던 라온이까지 데리고 살금살금 나섰다. 평소 차로 5분 거리에 있던 인근 동네를 15분 만에 지나가는데 계속 미끄러져 언덕 올라가는 것을 포기하고 차를 갓길에 버려두고(이미 여러 대가 도로에 버려져 있는 상황), 버스로 환승에 환승을 거듭해 서귀포로 이동했다. 폭설에 강풍에 혹한에 여러 번 망설이다 강행했는데 중문을 지나니 무안하고 허무하게도 도로에 눈이 없다... (기온이 높아 바로 녹기도 하고 제설작업까지 병행되어 나타난 현상). 심지어 서귀포는 바람 한 점 없었던 맑은 날씨... 2시간 뒤 버린 차를 회수할 겸, 수업 후 귀가할 우리를 데리러 올 겸 후발대로 나온 남편이 나왔을 때는 모든 도로에 눈이 다 녹고 없었다고 한다. 고생고생하며 폭설을 뚫고 버스를 2번이나 환승한 탓에 출발 3시간 만에 도착하고 보니 2시간 지각. 그리고 이후 1시간 반 만에 수업이 끝났던 날이다.

# 기찻길

글(일기) : 김다온 (10년 3개월)

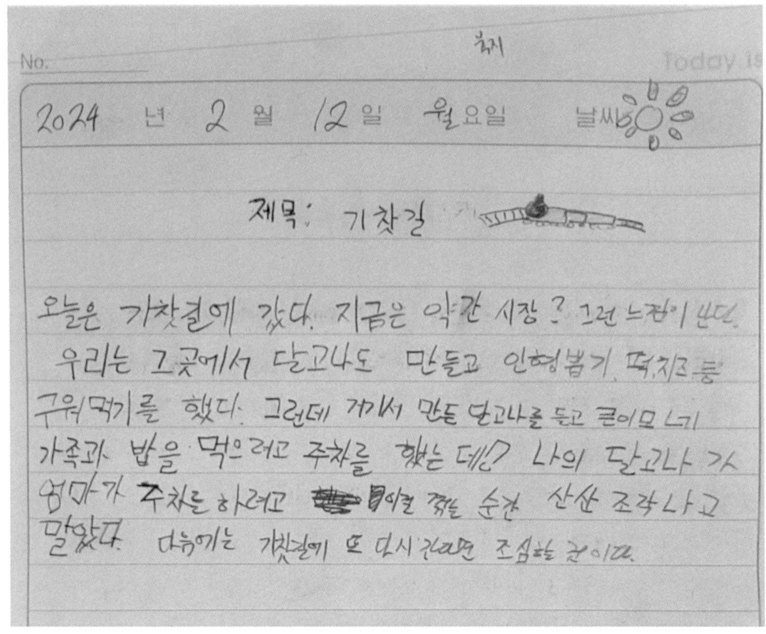
No.

Today is

2024 년 2 월 12 일 월요일 날씨

제목: 기찻길

오늘은 기찻길에 갔다. 지금은 약간 시장? 그런 느낌이 난다.
우리는 그곳에서 달고나도 만들고 인형뽑기, 떡, 치즈 등
구워먹기를 했다. 그런데 거기서 만든 달고나를 들고 큰이모 네
가족과 밥을 먹으려고 주차를 했는데!? 나의 달고나가
엄마가 주차를 하려고 이걸 꺾는 순간 산산 조각나고
말았다. 다음에는 기찻길에 또 다시 간다면 조심할 것이다.

오늘은 기찻길에 갔다. 지금은 약간 시장? 그런 느낌이 난다. 우리는 그곳에서 달고나도 만들고 인형 뽑기, 떡, 치즈 등 구워 먹기를 했다. 그런데 거기서 만든 달고나를 들고 큰이모네 가족과 밥을 먹으려고 주차를 했는데!

나의 달고나가 엄마가 주차를 하려고 이걸(핸들) 꺾는 순간 산산조각나고 말았다. 다음에는 기찻길에 또다시 간다면 조심할

것이다.

(옮긴이 : 김미르)

겨울방학과 설날을 맞아 오랜만에 간 육지여행. 외갓집에 놀러 가서 차례도 지내고, 군산에 있는 이모들 집에서도 자고 군산 기찻길로 여행도 다녀오고, 선물도 받고, 맛있는 것도 먹고, 사촌 언니 오빠들과 처음 만화카페도 가봤다. 올 때마다 아쉬워 눈물바다로 돌아가면서도 친구들이 없어서 육지로의 이사는 안 하겠다던 온자매들이 처음으로 육지로 이사 가자고 했던 여행이었다.

# 비상사태

글(일기) : 김다온 (10년 3개월)

2024 년 2 월 19 일 월 요일 날씨 안개

제목: 비상사태

오늘 수영 2번째 시간에서 잠수 25m
2개를 한 뒤에 우리는 자유형 스타트를 했다.
계속 잘 하다가 내 차례가 되었을 때
선생님이 "준비" 라고 하자 갑자기
두나가 토를 했다. 나는 실수로 뛰어버릴
뻔 했다. 우리는 모두 물에서 나왔다.
유빈이와 지우는 한 가운데에서 못나오고 있다가
토를 했다는 걸 알자마자 둘다 뛰쳐 나왔다.
두나는 괜찮다고 했다. 결국 선생님 2~3명이 모두
채를 지금은 들고 ~~토~~ 을 모두 건져내고 우리는
모두 밖으로 나가서 그냥 끝났다. 그런데
우리는 모두 빨리 끝나서 좋아했다. 왜냐하면
끝나기 20~10분 전에 토를 해서 안 했더라면
조금 뒤에 복근 운동을 해야했기 때문이다.

— 끝 —

오늘은 수영 2번째 시간에서 잠수 25m 2개를 한 뒤에 우리는 자유형 스타트를 했다. 계속 잘하다가 내 차례가 되었을 때!

선생님이 "준비!"라고 하자 갑자기

두나가 토를 했다. 나는 실수로 뛰어버릴 번했다. 우리는 모두 물에서 나왔다.

유빈이와 지우는 한가운데에서 못 나오고 있다가 토를 했다는 걸 알자마자 둘다 뛰쳐나왔다.

두나는 지금은 괜찮다고 했다. 결국 선생님 2~3명이 모두 채를 들고 ★★★를 모두 건져내고 우리는 모두 밖으로 나가서 그냥 끝냈다.

그런데 우리는 모두 빨리 끝나서 좋아했다. 왜냐하면 끝나기 20~10분 전에 토를 해서 않했더라면 조금 뒤에 복근 운동을 해야 했기 때문이다.

(옮긴이 : 김미르)

집에 돌아오는 길에 아픈 친구가 걱정되면서도 일찍 끝나서 좋은 그래서 또 미안한 (친구는 무안하고 아팠을 텐데 자기들은 좋아한다며...) 감정들이 뒤섞인다고 말하는 다온이와 가온.

그때처럼 언제든 너희가 원할 때, 혼란스러울 때 엄마 아빠에게 털어놓고 상의해주렴.

그리고 수영학원 마스터반(빨간 모자)이 되고 일주일에 3번, 한 번에 2시간씩 하는 연습이 고되고 힘들고 싫었을 텐데도 아픈 날 외에는 빠지는 날 없이 참고 버텨주었던 다온, 가온, 라온아, "씩씩하고 성실해서 대견하고 자랑스럽고 고맙다!"

# 만두

글(일기) : 김다온 (10년 3개월)

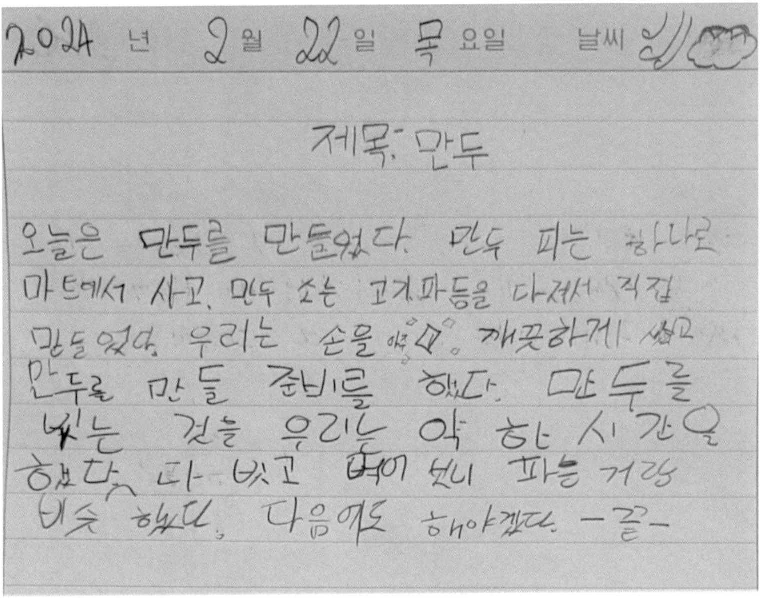

2024 년 2 월 22 일 목 요일 날씨

제목: 만두

오늘은 만두를 만들었다. 만두 피는 하나로
마트에서 사고, 만두 소는 고기,파등을 다져서 직접
만들었다. 우리는 손을 아주 깨끗하게 씻고
만두를 만들 준비를 했다. 만두를
빚는 것을 우리는 약 한 시간을
했다. 다 빚고 먹어 보니 파는 거랑
비슷 했다. 다음에도 해야겠다. -끝-

오늘은 만두를 만들었다. 만두 피는 하나로마트에서 사고, 만두 소는 고기, 파 등을 다져서 직접 만들었다. 우리는 손을 아주 깨끗하게 씻고 만두를 만들 준비를 했다.

만두를 빚는 것을 우리는 약 한 시간을 했다. 다 빚고 먹어 보니 파는 거랑 비슷했다. 다음에도 해야겠다.

(옮긴이 : 김미르)

몇 년 만에 집에서 만들어 본 만두, 곧잘 빚는 다온, 가온, 라온 ~

잘 못 빚는 엄마도 온자매들을 낳았는데, 우리 손주들은 얼마나 예쁠지 벌써부터 기대가 된단다.

3장.

# 라온

# 나

그림 : 김라온 (2년 1개월)

두 돌이 되고 제법 사람 형체를 가진 그림들을 그리기 시작했던 라온. 그리고 보여주는 그림마다 똑같아 구분하기 힘든 엄마랑 언니들이랑 라온이(4쌍둥이를 그려줌)를 그리던 라온이 ^^

## 고래

그림 : 김라온 (2년 11개월)

누가 제주에서 태어나고 자란 토박이 아니랄까 봐, 고래를 가장 좋아하는 라온이가 그린 그림.

## 엄마 얼굴

그림 : 김라온 (3년 4개월)

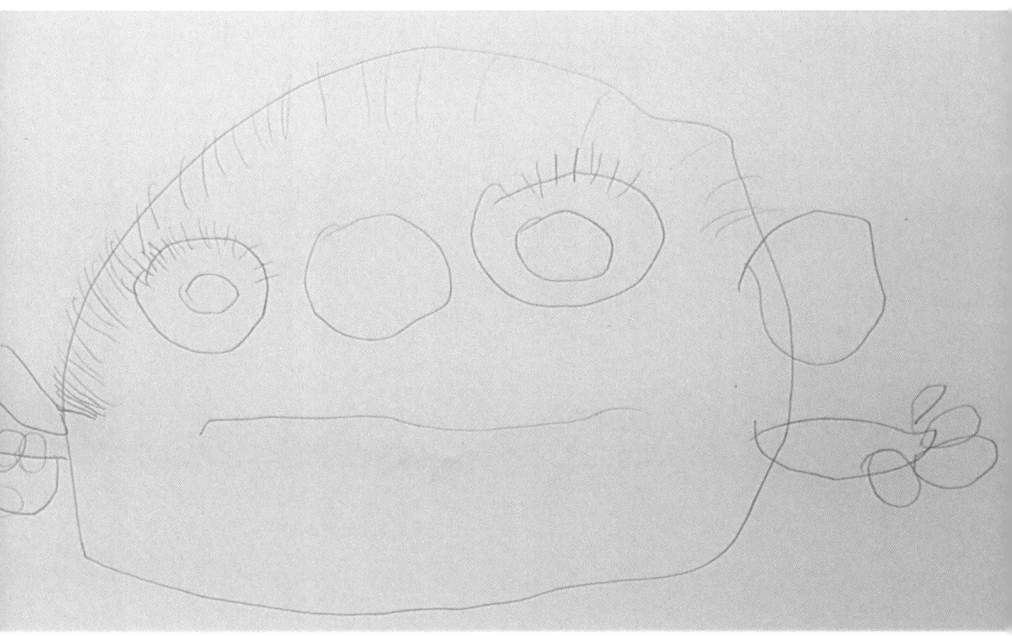

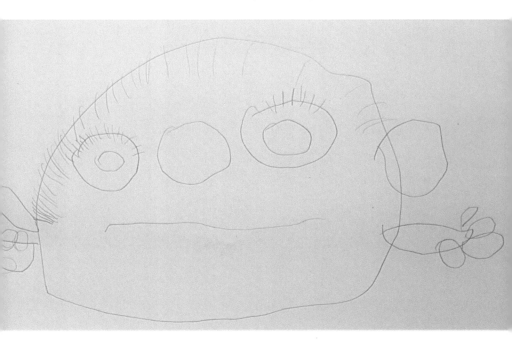

그동안 그린 엄마와 조금 달라진 그림. 얼굴을 그리고 나니 몸과 다리는 그릴 곳이 부족해서 못 그렸단다. 안경은 벗는 게 예뻐서 안 그렸다고 해맑게 웃으며 대답하는 라온.

# 친구랑 놀기

그림 : 김라온 (3년 8개월)

어린이집에서 친구랑 놀고 있는 모습을 그렸단다. 오랜만에 보는 얼굴 이하 졸라맨 그림...

# 아빠 생신 선물

그림/글 : 김라온 (4년 5개월)

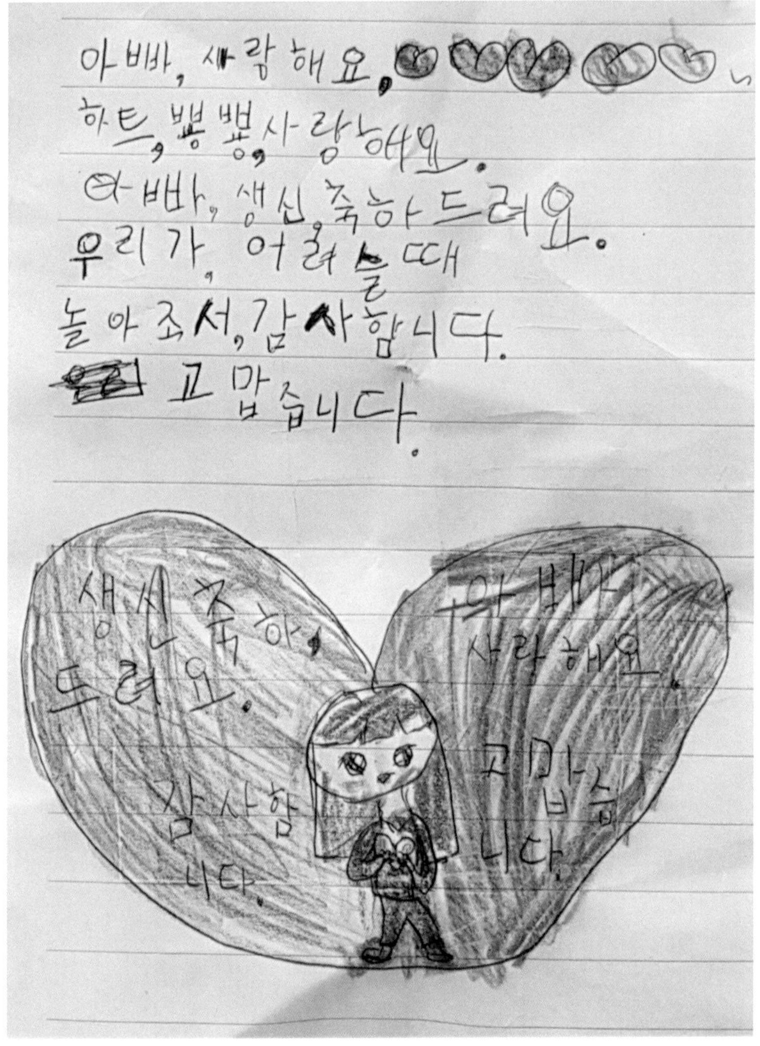

아빠, 사랑해요.

하트, 뽕뽕, 사랑해요.

아빠, 생신 축하드려요.

우리가, 어려슬 때

놀아조서, 감사합니다.

고맙습니다.

(옮긴이 : 김미르)

아빠 생신을 맞아 2일 동안 고민하며 준비했다는 생일 선물, 아빠 부자 되라고 가진 모든 돈을 주고 싶었단다. 그런데 가진 게 동전 몇 개밖에 없어서 그 모든 걸 주고도 미안하다는 라온. 밑그림은 다온 언니가 도와주었고 하트 그림과 색칠 그리고 편지는 자신이 직접 썼다며 뿌듯해하는 우리 막내딸~ "너희는 돈으로는 비교할 수 없는 가장 큰 선물이란다, 사랑하는 딸들아!"

고마워

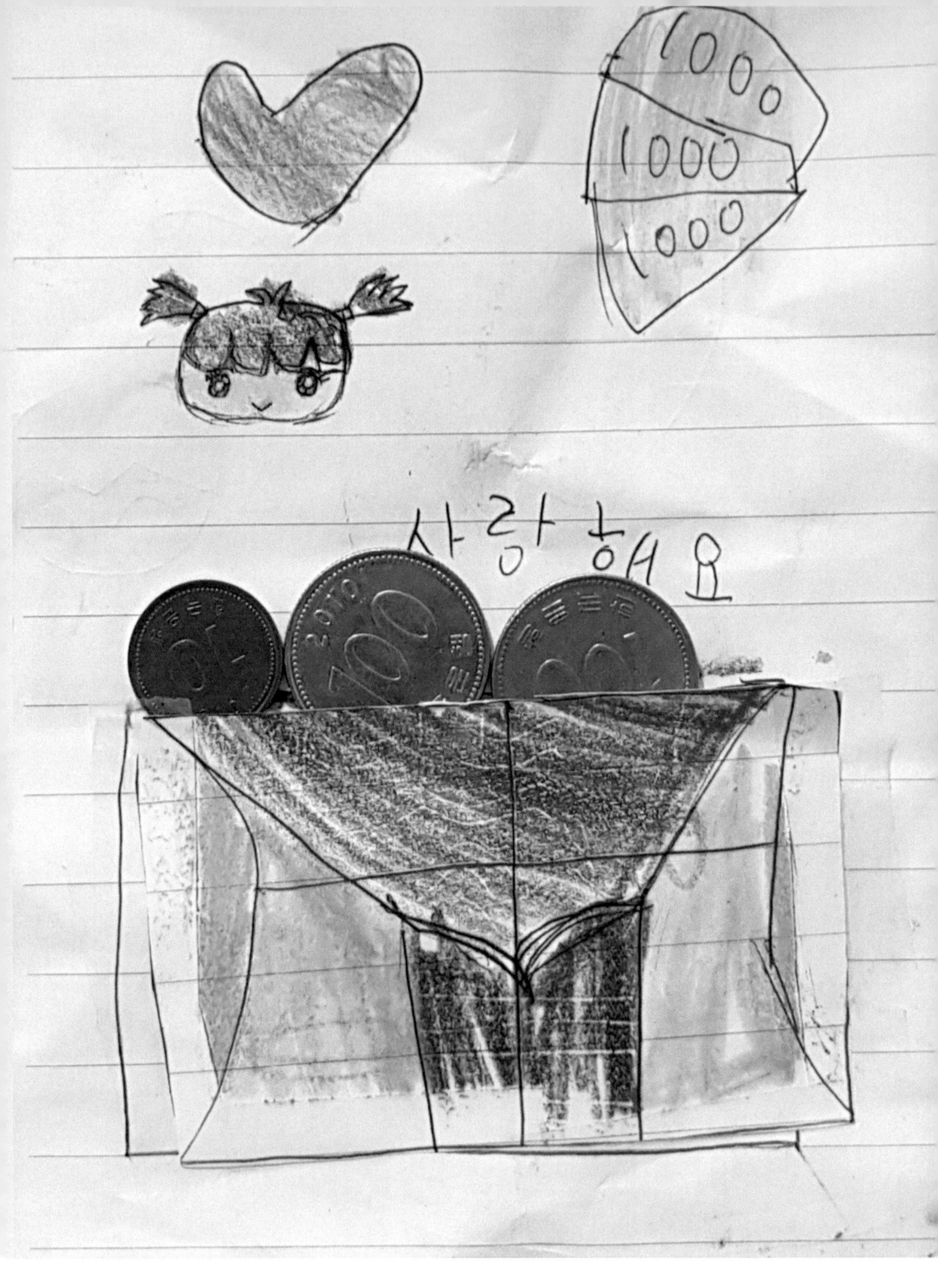
1000
1000
1000
사랑해요
2010
100
100

# 엄마는

그림 : 김라온 (4년 7개월)

별 그리기를 단번에 터득한 지 좀 된 라온. 엄마는 별보다 더 반짝이고 예쁘단다.

# 아기 고래

그림 : 김라온 (4년 10개월)

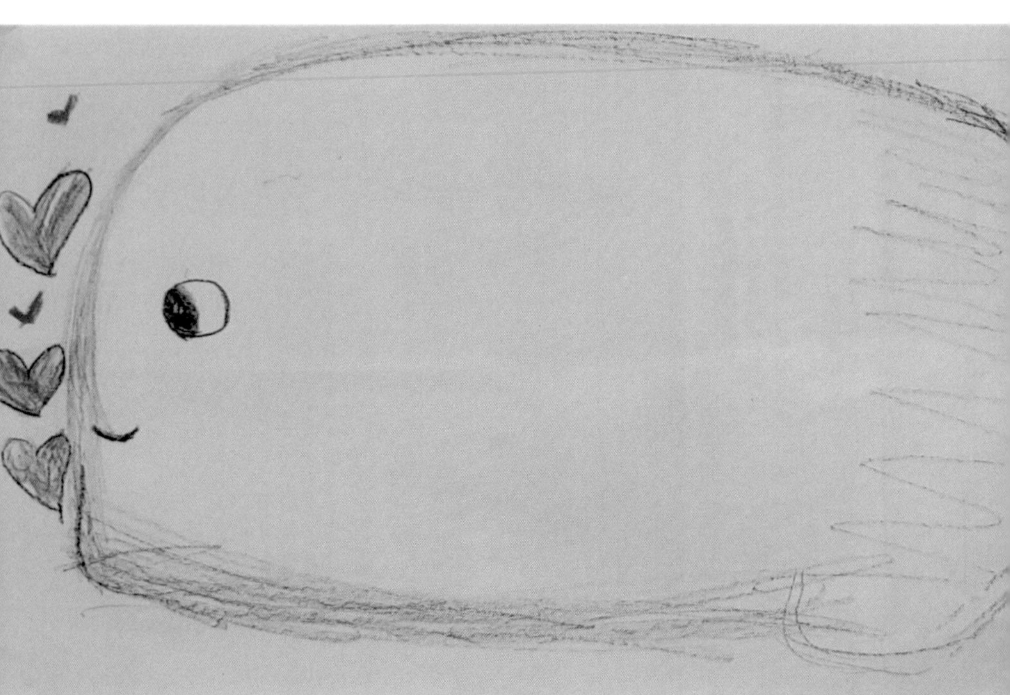

언니들과 엄마가 그린 고래 그림을 유심히 보더니 그린 그림 첫 번째.

# 고래 가족

그림 : 김라온 (4년 10개월)

언니들과 엄마가 그린 고래 그림을 유심히 보더니 그린 그림 두 번째, 해 질 무렵 무지갯빛 도는 하늘과 바다 그리고 돌고래 가족을 그린 그림이란다.

# 우리 집

그림 : 김라온 (5년 1개월)

어느 날 자신의 이름을 체리라고 불러달라는 라온이가 어린이집에서 그린 우리 집이라며 거실 벽에 붙여 달라던 그림이다.

# 나랑 엄마 아빠랑

그림 : 김라온 (5년 2개월)

해당 시기에 라온이가 자주 그리는 우리 집과 우리 가족 그림 중 하나. 오늘은 그릴 시간이 많이 없었는지 엄마 아빠는 졸라맨이다.

# 친구랑 어린이집에서 놀기

그림 : 김라온 (5년 2개월)

어린이집에서 그린 친구랑 노는 그림이란다. 친구가 여자가 아닌데 누구냐고 질문하니, 친구는 남자 여자 모두 친구라며, 쉬는 시간에 짝꿍과 노는 것을 그렸다고 쿨~하게 대답하던 라온이다.

# 잠수함 고래를 타고 바다를 본다

그림 : 김라온 (5년 5개월)

일요일 오전 언니들이 파스텔로 그리는 것을 보고 그렸다는 그림. 그리고 더 눈에 들어오는 그림의 제목. '6명이네'라고 질문하니, 가운데 한 명은 조종사(안경 때문에 예상했던 엄마가 아니고)란다.

# 무지개

그림 : 김라온 (5년 10개월)

22년 새해 첫날에 그린 그림. 이젠 '체리'가 아니고 '수라온이라고 부를까'하고 물어보니 그냥 '수'글자가 라온과 잘 어울릴 것 같아 쓴 거란다.

## 엄마, 아빠에게

글 : 김라온 (6년 1개월)

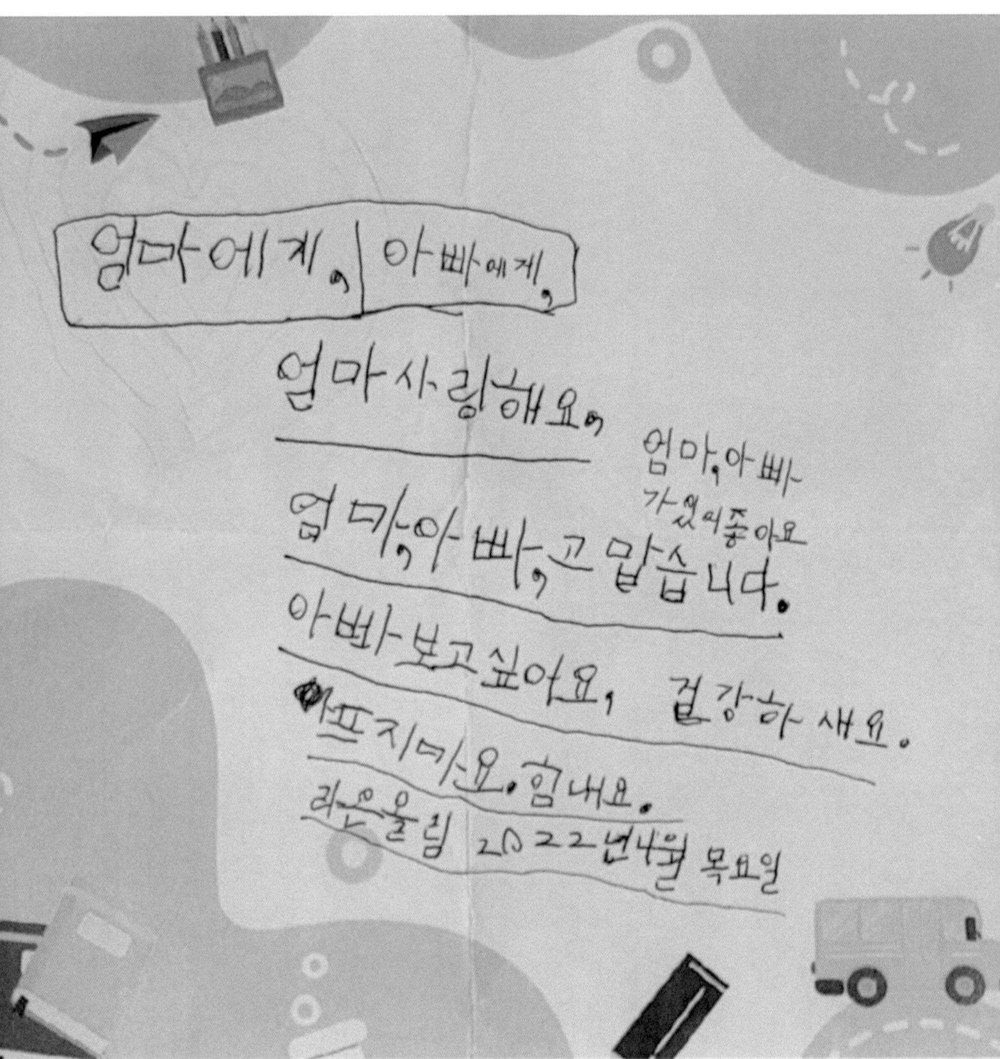

엄마에게, 아빠에게,

엄마사랑해요,

엄마, 아빠가있어좋아요

엄마, 아빠, 고맙습니다.

아빠 보고싶아요, 겁강하 새요.

아프지마세요. 힘내요.

라온올림 2022년4월 목요일

엄마에게, 아빠에게,

엄마 사랑해요,
엄마, 아빠가 있어 좋아요.
엄마, 아빠, 고맙습니다.
아빠 보고 싶어요.
건강하새요.
아프지마요. 힘내요.

(옮긴이 : 김미르)

아빠가 검진을 위해 서울에 가서 다음날 오기로 한 날, 아빠가 보고 싶다며 편지를 쓴 라온이. 다음날 돌아온 아빠에게 전해주며 꼭 안아주어 아빠를 감동시켰던 그날.

# 나는 물고기가 댔어

그림 : 김라온 (6년 3개월)

유치원에서 수업 시간에 책을 읽고 나서 그렸다며 가져온 연습장에 그려진 그림이다.

# 수영장에 갔다

그림/글 : 김라온 (6년 6개월)

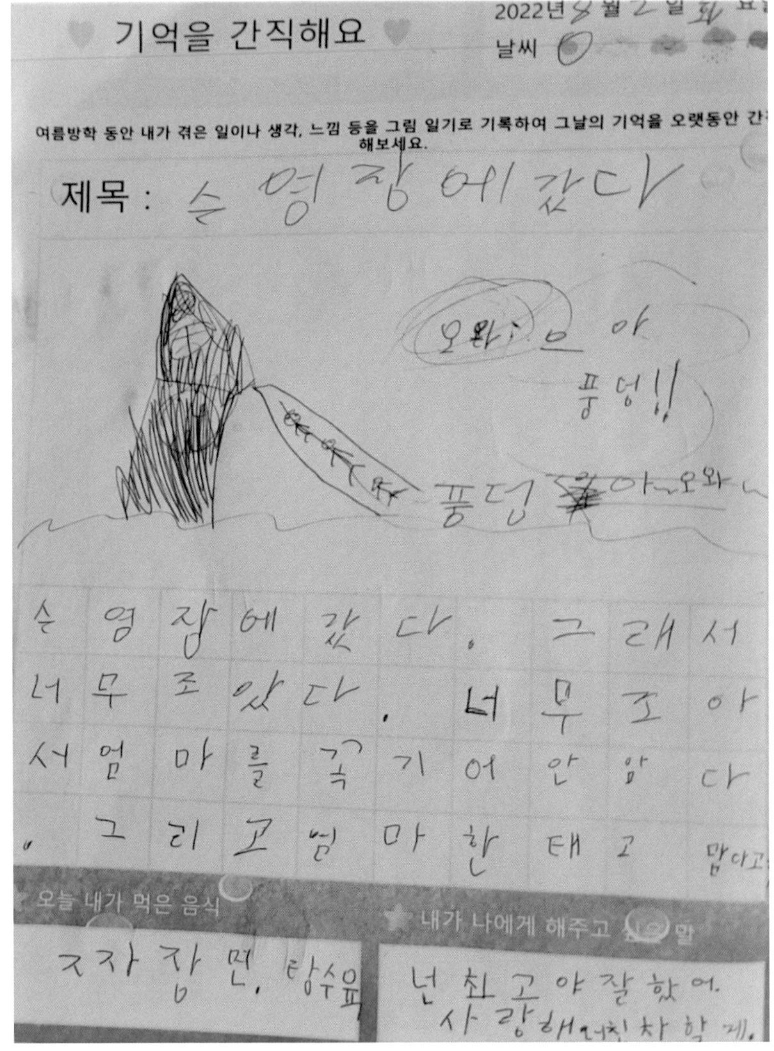

수영장에 갔다.

그래서 너무 조았다.

너무 조아서 엄마를 꼭 기어 안암다.

그리고 엄마한태 고맙다고 했다.

(옮긴이 : 김미르)

제주에서는 처음으로 워터 파크에 간 날, 집에 돌아와서 기억해야 한다며 졸린 눈을 비비고 방에 들어가더니 방학 숙제를 했단다. 너무 행복해서 잠자는 게 너무 아깝다고 말한 지 1분도 안 돼 잠들었던 라온.

# 온자매네 가족

그림 : 김라온 (6년 8개월)

요즘 자주 그리는 캐릭터(어느 만화에 나왔다는데? 잘 모르겠음)로 그린 우리 가족 사진.

# 산

그림 : 김라온 (6년 8개월)

유치원에서 그려 온 산 그림. 언뜻 산 모양만 보고 반대로 보고 있었는데 틀렸다며 사람이란 글자가 보이게 보는 게 맞다고 설명해 주는 라온.

# 우리 가족 소개

그림 : 김라온 (8년 1개월)

초등학교에 입학해서 처음 등교한 날, 우리 가족을 소개하는 그림을 그렸다며 들고 왔다. 대부분 외동인 친구들에게 쌍둥이 언니가 있다고 자랑해서 친구들이 와~! 하고 부러워했단다.

## 꿈을 이룬 나의 미래의 모습

그림 : 김라온 (8년 1개월)

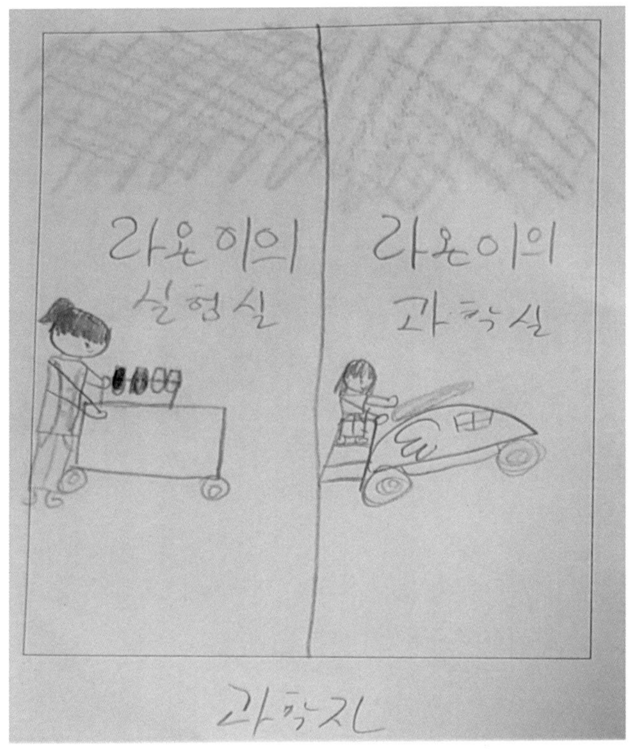


유치원 때부터 꿈이었던 과학자. 지금은 아빠 부하이자 자기 친구인 민돌이(자가용)를 최신식으로 업그레이드해서 외갓집에도 금방 날아서 갈 수 있고 자기 말도 잘 듣는 자기 부하로 삼기 위해서 되고 싶단다.

# Sad ending or happy ending

그림/글 : 김라온 (7년 1개월)

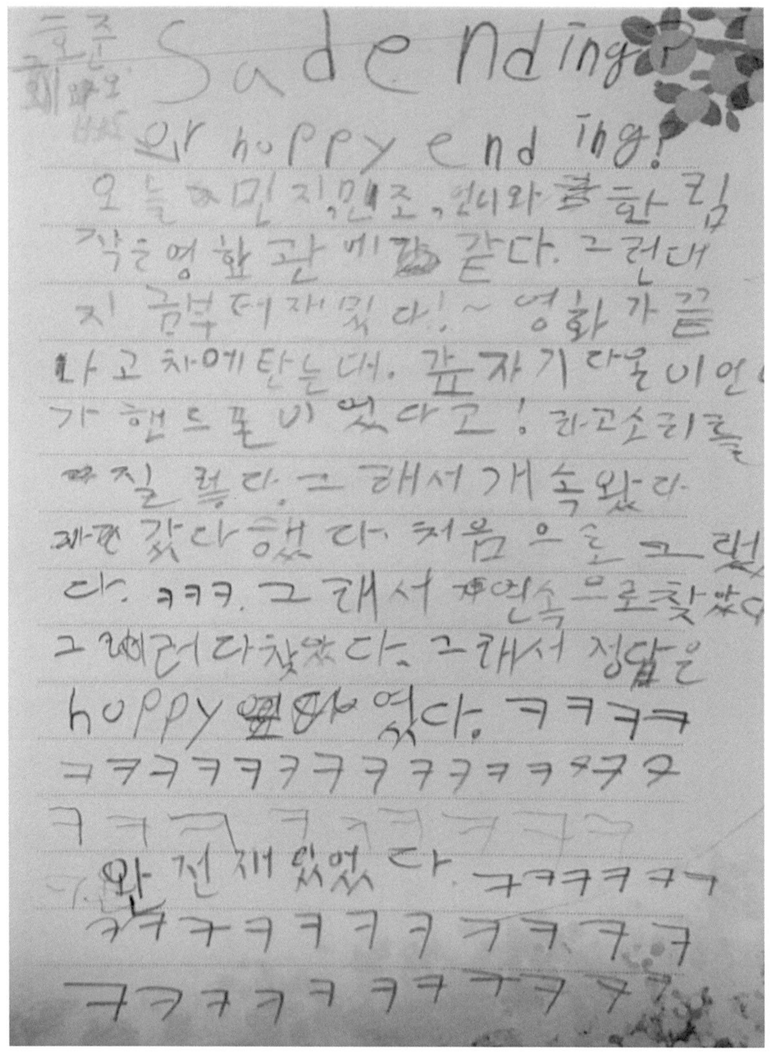

오늘 민지, 민조, 언니와 한림 작은 영화관에 갔다. 그런대 지금부터 재밌다!~

영화가 끝나고 차에 탄는대 갑자기 다온이 언니가 핸드폰이없다고! 라고 소리를 질렀다. 그래서 개속 왔다 갔다 했다. 처음으로 그랬다. ㅋㅋㅋ 그래서 연속으로 찾았다.

그러다 찾았다. 그래서 정답은 hoppy였다. ㅋㅋㅋ

완전 재밌었다. ㅋㅋㅋ

(옮긴이 : 김미르)

언니 친구들과 영화를 보러 다녀오는 길, 다온이가 핸드폰을 잃어버렸다며 난리가 났다. 길가에 차를 급정차한 후 찾았지만 없었다. 돌아가 길을 되짚어 영화관, 영화관 옆 운동장, 주차장을 뒤지다 저녁 시간이 다 돼 포기하고 집으로 오던 길... 위치 추적 결과, 운동장에서 마지막 신호가 잡히는데 건전지가 10% 미만이라는 아빠의 연락을 받고 친구 부모들에게 양해를 구한 후 다시 한림으로 향했다. 해가 막 떨어져서 어둑해지기 시작할 무렵 드라마틱하게도 운동장 벤치 밑 어둠 속에서 핸드폰이 발견되었다. 안도의 한숨도 잠시 긴장의 끈이 풀린 아이들은 배고픔에 힘겨워했고 돌아오는 길에는 그 흔한 편의점 하나 없었다. 다행히 마감 전 부랴부랴 주문한 피자가 나오는 찰나에 도착해서 픽업해 아이들 편에 각자 집으로 함께 보냈다. 얼마나 놀랐을지 배고팠을지 미안하고 부모들에게도 면목이 없었던 긴 하루... 다행히 집에 돌아간 아이들은 평생 못 잊을 재미난 추억이라며 무용담을 늘어놓다 잠이 들었다고 한다. 라온이도 영화보다 더 영화같이 재밌는 하루였다며 이 글을 써서 보여준다.

# 런닝맨 앤 아프리카박물관

글(일기) : 김라온 (7년 6개월)

제목: 런닝맨 앤 아프리카 박물관!

오늘은 친구~~와~~ 친구
에 언니랑 같이 아프리
카 박물관에 갔다. 만
들기도 했는대 만들기
가 까다로웠다. 너무너
무 깜짝 놀라기도 했다
하지만 재밌고 신기 .방
기 했다. 친구들과 런
닝맨도 같이 갔다 왔
다. 너무 신나서 나도
모르게 모르는 사람과
아팠다.

오늘의 착한일은? 양보했다

내일 해야 할 일은? 학교, 학원
집, 숙제, TV

참 잘했어요

오늘은 친구와 친구에 언니랑 같이 아프리카 박물관에 갔다. 만들기도 했는대 만들기가 까다로웠다. 너무너무 깜짝 놀라기도 했다. 하지만 재밌고 신기방기 했다.

친구들과 런닝맨도 같이 갔다 왔다. 너무 신나서 나도 모르게 몰르는 사람과 부딪쳐 아팠다.

(옮긴이 : 김미르)

중문에 있는 아프리카박물관에 가서 도슨트 설명도 듣고, 물의 여신 마미와타 종이 인형을 만들어보는 문화행사체험도 했던 날. 런닝맨 체험관에 가서 1시간이 언제 지났는지 모르게 각종 게임과 미션도 수행했었다.

# 엄마 생신 선물

그림/글 : 김라온 (7년 7개월)

매년 추석 명절 끝자락에 맞이하는 엄마 생일이건만, 잊지 않고 선물의 편지를 준비하는 온자매들~ 너희보다 더 크고 고마운 선물은 없단다. 라온, 다온, 가온, 사랑해!

## 김라온 삼행시

글 : 김라온 (7년 8개월)

삼행시
2023.11.10 김라온

김밥 먹고 싶어서
라면도 시켰는대
온도가 안 맞아!

삼행시가 뭐냐며 질문하더니, 설명을 듣자마자 자기도 자신 있다며 삼행시를 핸드폰에 써서 보여준다. 이 신통방통 재치, 누굴 닮은 건가 하고 물으니, 언니들 둘을 동시에 닮아서란다.

# 만두

글(일기) : 김라온 (8년 1개월)

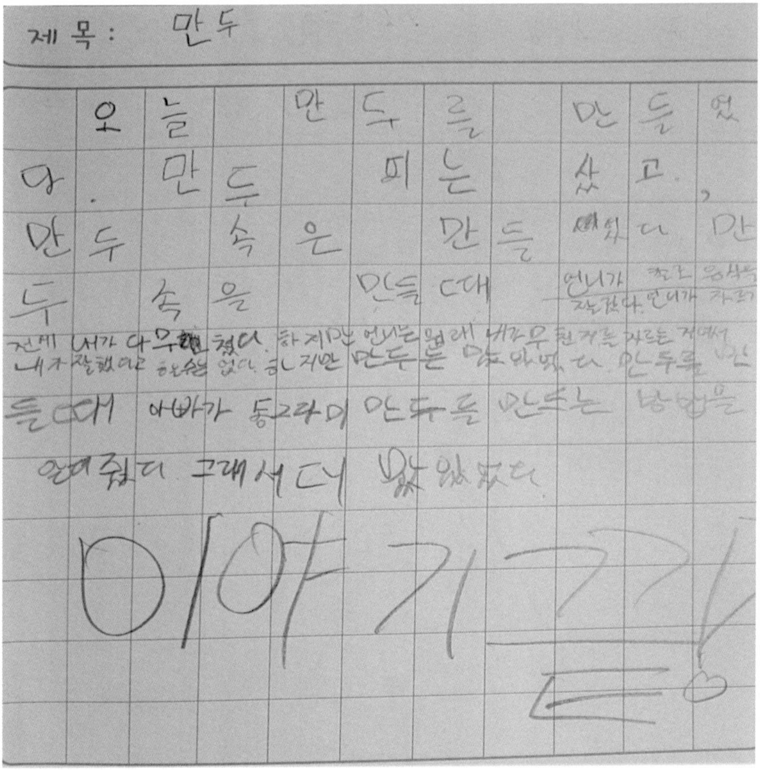

제 목 : 만두

오늘 만두를 만들었다. 만두 피는 샀고, 만두 속은 만들었다 만두 속을 만들 때 언니가 칼로 음식을 잘랐다 언니가 자르기 전에 내가 다 무쳤다. 하지만 언니는 원래 내가 무친 거를 자르는 거여서 내가 잘했다고 할 수는 없다 하지만 만두는 맛있었다. 만두를 만들 때 아빠가 동그라미 만두를 만드는 방법을 알려줬다 그래서 더 맛있었다.

이야기 끝

오늘 만두를 만들었다. 만두 피는 샀고, 만두 속은 만들었다. 만두 속을 만들 때 언니가 칼로 음식을 잘랐다. 언니가 자르기 전에 내가 다 무쳤다. 하지만 언니는 원래 내가 무친 거를 자를 거여서 내가 잘했다고 할 수는 없다. 하지만 만두는 맛있었다.

만두를 만들 때 아빠가 동그라미 만두를 만드는 방법을 알려줬다. 그래서 더 맜있었다.

(옮긴이 : 김미르)

오랜만에 만두를 만들어 먹어선지 당일의 아이들 일기는 모두 만두이야기였다. 아이들이 커서 만두 빚기까지의 전 과정을 직접 하도록 했는데 예상 밖으로 제법 그럴싸한 맛있는 만두가 탄생했던 날이었다.

## 개똥아 삼행시

그림/글 : 김라온 (8년 1개월)

언니들 수영 시간이 마저 끝나길 기다리는 동안, 불현듯 재밌는 게 생각났는데 자기 천재인 것 같다며 핸드폰을 달라고 하더니 메모에 적어 보여준다. 헉! 그렇네. 천재인 건가? 팔불출인 건가?

# 자장면

그림/글 : 김라온 (8년 2개월)

< **자장면**

오늘은 급식에 자장면이 나왔다.
급식 선생님들은 맨날 나한테 만  조금 준다.
'나도 많이 주세요!'라고 하면 애들이 나를 볼것 같아 부담스러워서 못 말하겠다.
그래서 엄마,아빠한테 말하면 많이 달라고 말하라고 하셨다.앗! 마침 이름도 안 말해주고 이야기를 하고 있었다. 너무 부끄럽다.지금 이름을 말해야겠다. 안녕하세요. 제 이름은 로아슨 입니다.
괜찮다면 이야기를 다시 시작하겠습니다.
그래서 못 말하겠다고 말 했다.
그래서 아빠가 급식을 받을때 "고맙습니다"라고 말 하면 기분이 좋아서 많이 줄수도 있다고 말 했다.그래서 그렀게 해봤더니 자장면을 듬뿍 듬뿍 주셨다.기분이 참 좋았다.다음에도 맛있는게 나올땐 이 방법을 써야 겠다. 이야기 끝!~

Yes!

잠잘 시간이 얼마 안 남은 시간.

"엄마, 심심해요!"

"심심하면 책 봐!"

"집에 있는 책은 다 봐서 또 보기 싫어요."

"그럼 안 심심한 걸로 네가 책을 써!"

"..."

조용해서 자러 간 줄 알았더니...

잠시 후 태블릿을 들고나와 보여준다.

"엄마, 정말 안 심심하고 재밌는 책 썼어요. 엄마도 심심할 때 보세요."

저녁 먹으며 했던 이야기를 책으로 써보았단다.

# 4장.

# 미르

# 집에 오는 길에

글(일기) : 김미르 (8년 10개월)

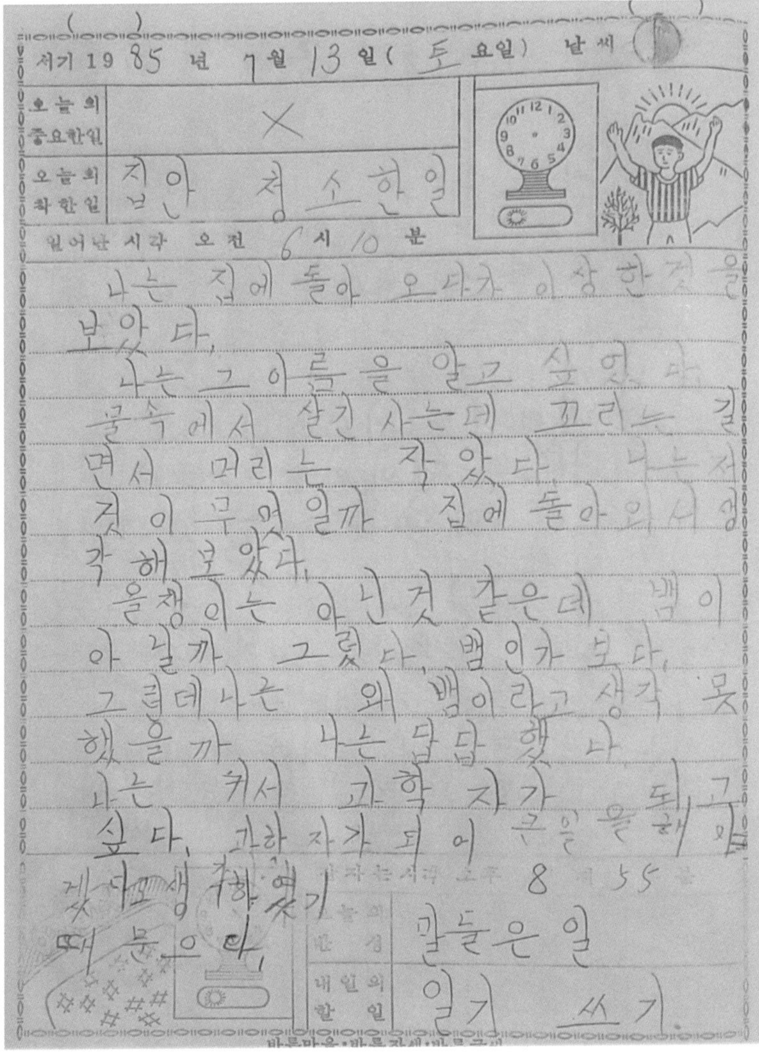

서기 1985 년 7월 13일( 토 요일) 날씨

| 오늘의 중요한일 | × |
| --- | --- |
| 오늘의 착한일 | 집안 청소한일 |

일어난 시각 오전 6 시 10 분

나는 집에 돌아 오다가 이상한것을
보았다.
나는 그 이름을 알고 싶었다.
물속에서 살긴 사는데 꼬리는 길
면서 머리는 작았다. 나는 저
것이 무엇일까 집에 돌아와서 생
각 해 보았다.
올챙이는 아닌것 같은데 뱀이
아 닐까 그렇다. 뱀인가 보다.
그런데 나는 왜 뱀이라고 생각 못
했을까 나는 답답 했다.
나는 커서 과학 자가 되고
싶다. 과학 자가 되어 큰일을 해 내
겠다고 생각 했기
때문이다.

잠자는 시각 오후 8 시 55 분

| 오늘의 반성 | 말들은 일 |
| --- | --- |
| 내일의 할일 | 일기 쓰기. |

바른마음·바른자세·바른글씨

나는 집에 돌아오다가 이상한 것을 보았다.

나는 그 이름을 알고 싶었다.

물속에서 살긴 사는데 꼬리는 길면서 머리는 작았다. 나는 저것이 무엇일까 집에 돌아와서 생각해 보았다.

올챙이는 아닌 것 같은데 뱀이 아닐까 그랬다. 뱀인가 보다.

그런데 나는 왜 뱀이라고 생각 못 했을까 나는 답답했다. 나는 커서 과학자가 되고 싶다. 과학자가 되어 큰일을 해야겠다고 생각하였기 때문으다.

(원작 : 국민학교시절 김미르) (옮긴이 : 김미르)

시골에 사는 부지런한 부모님 때문이었는지 6시경에 일어나서 늦어도 9시 전에는 잠들었었던 그때. 내 희망이 과학자였었네. 옆에서 조용히 읽어보던 라온 왈, "엄마도 나처럼 과학자가 되고 싶었네"

# 극장

글(일기) : 김미르 (9년 5개월)

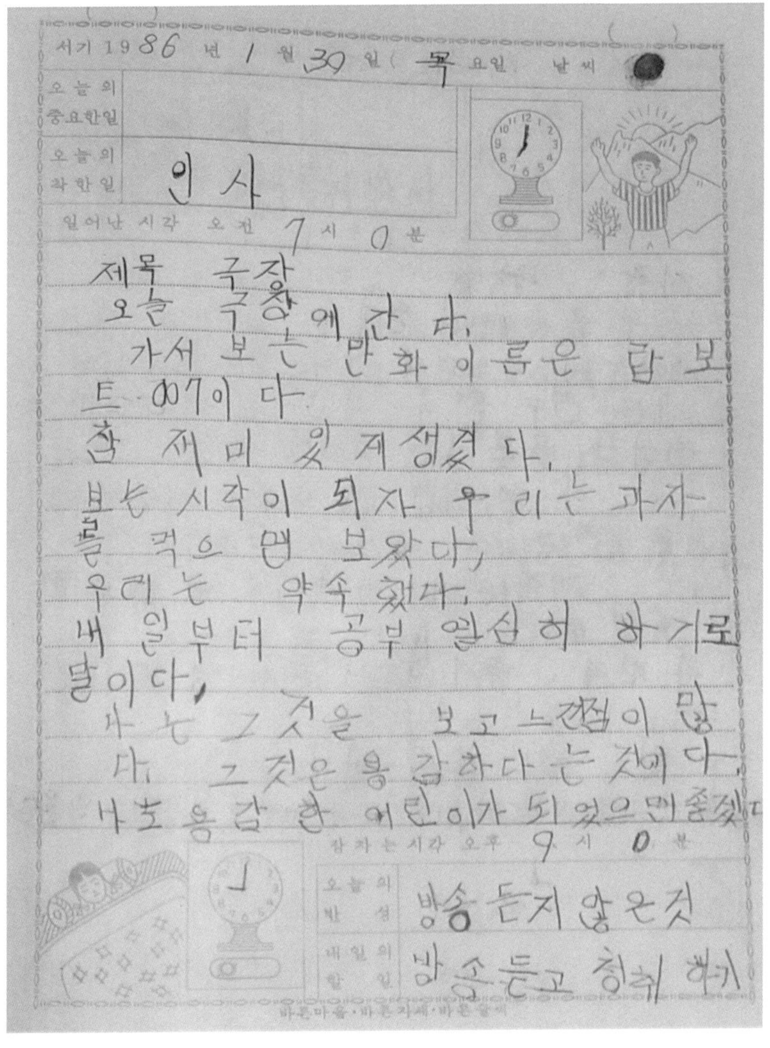

서기 1986 년 1 월 30 일 ( 목 요일 날씨

오늘의 중요한일

오늘의 착한일 인사

일어난 시각 오전 7 시 0 분

제목 극장

오늘 극장에 간다.
가서 보는 만화 이름은 답보트 007이다
참 재미있게 생겼다.
보는 시각이 되자 우리는 과자를 먹으면 보았다,
우리는 약속했다.
내일부터 공부 열심히 하기로 말이다.
나는 그것을 보고 느낀점이 많다. 그것은 용감하다는 것이다.
나도 용감한 어린이가 되었으면 좋겠다

잠자는 시각 오후 9 시 0 분

오늘의 반성 방송 듣지 않은것

내일의 할일 방송 듣고 청취 하기

바른마음·바른자세·바른글씨

오늘 극장에 간다.

가서 보는 만화 이름은 람보트 007이다.

참 재미있게 생겼다.

보는 시각이 되자 우리는 과자를 먹으면 보았다.

우리는 약속했다.

내일부터 공부 열심히 하기로 말이다.

나는 그것을 보고 느낀점이 많다.

그것은 용감하다는 것이다.

나도 용감한 어린이가 되었으면 좋겠다.

(원작 : 국민학교시절 김미르) (옮긴이 : 김미르)

5형제를 키우며 벼농사를 지었던 부모님, 당시 넉넉하지 않으신 형편에 하나뿐인 읍내 극장에 들른 후, 만둣집에 가서 외식도 시켜주시고 근처 공원에 가서 산책도 했던 기억이 어렴풋이 난다. 이제 당시의 부모님과 비슷한 나이가 되어 셋 밖에 안되는 아이들을 키우고 있는 나는 이렇게 지치고 힘들 때가 많은데, 부모님께서는 어떻게 그 세월을 헤쳐나오셨을까 존경스럽고 쉽지 않았을 그 삶의 무게가 안쓰럽고 죄송스럽다. 환갑도 되기 전 이른 나이에 고생만 하다 돌아가신 아빠가 그리워지는 일기 내용이다.

그리고 매주 영화 보는 금요일, 원하는 간식(팝콘, 과자, 아이스크림, 음료수 등)과 함께 다음날은 마음껏 늦잠 자는 우리 온자매들도 나중에 이 시간을 회상해 주길 바라본다.

# 슬픈 우리 집

글(일기) : 김미르 (9년 6개월)

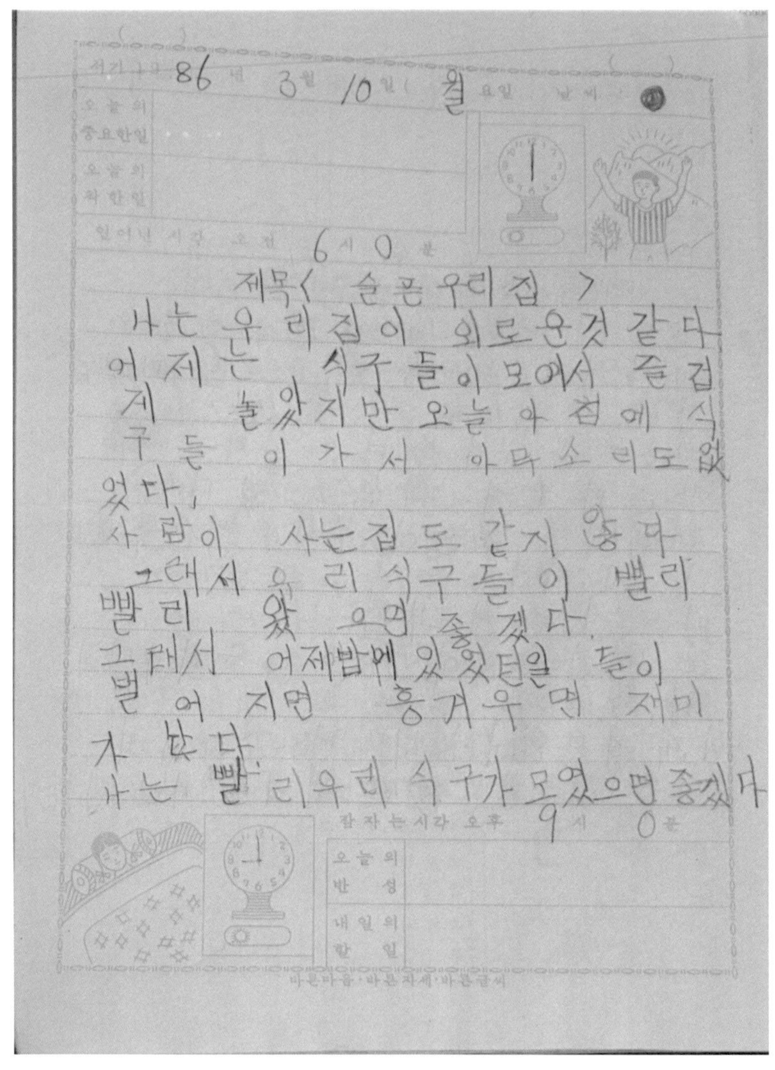

서기 1986년 3월 10일 (월)요일 날씨

오늘의 중요한일

오늘의 착한일

일어난 시각 오전 6시 0분

제목 < 슬픈 우리집 >

나는 우리집이 외로운것 같다
어제는 식구들이 모여서 즐겁게 놀았지만 오늘 아침에 식구들이 가서 아무소리도 없었다.
사람이 사는집도 같지 않다
그래서 우리 식구들이 빨리 빨리 왔으면 좋겠다.
그래서 어제밤에 있었던일들이 벌어지면 흥겨우면 재미가 있다
나는 빨리우리 식구가 모였으면 좋겠다

잠자는 시각 오후 9시 0분

오늘의 반성

내일의 할일

바른마음·바른자세·바른글씨

나는 우리 집이 외로운 것 같다.

어제는 식구들이 모여서 즐겁게 놀았지만, 오늘 아침에 식구들이 가서 아무 소리도 없었다.

사람이 사는 집도 같지 않다.

그래서 우리 식구들이 빨리빨리 왔으면 좋겠다.

그래서 어제 밤에 있었던 일 들이 벌어지면 흥겨우면 재미가 난다.

나는 빨리 우리 식구가 모였으면 좋겠다.

(원작 : 국민학교시절 김미르) (옮긴이 : 김미르)

아마 당시의 식구 또는 가족의 개념은 직계가족이 아니라 작은 아빠, 고모들, 작은할아버지들까지를 포함했었을 것이다. 평소 9명이 북적이며 살고 있었음에도 30~40명의 가족이 모이지 않아 허전함, 외로움, 슬픔을 느꼈었다니 세상 참 많이 변했구나라고 예전 할머니 같은 말이 자연스럽게 나온다. 당시엔 한 달에 1~2번 이상 찾아오는 집안 제사로 많은 가족들이 집에 모이곤 했었다.

# 내 마음

글(일기) : 김미르 (9년 7개월)

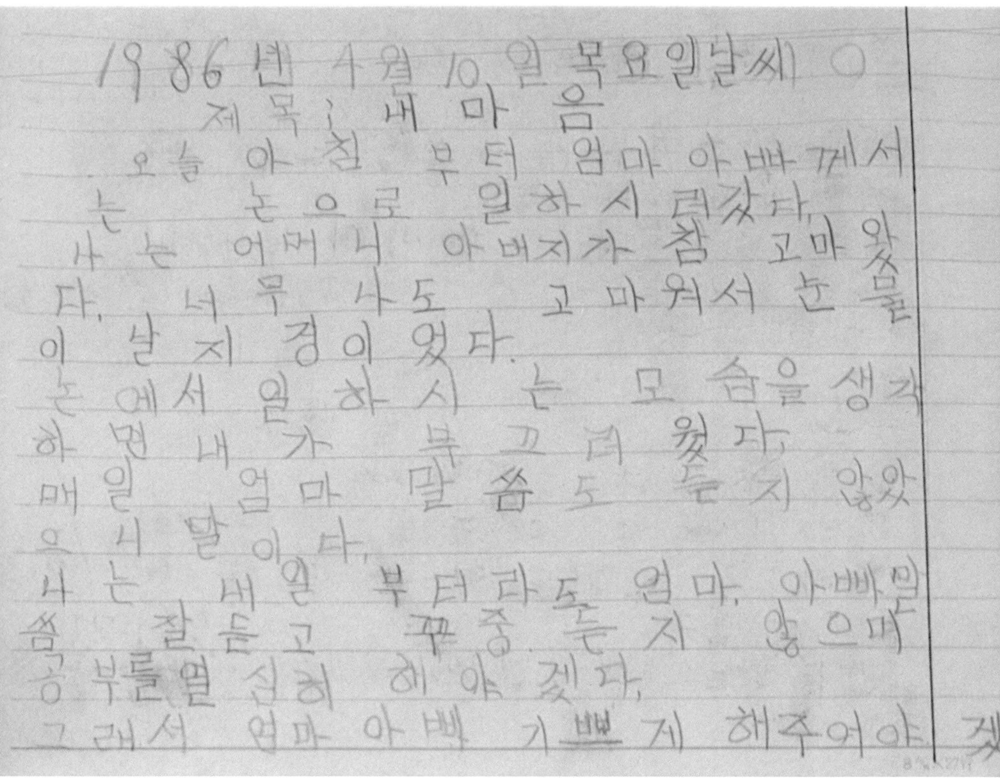

1986년 4월 10일 목요일 날씨 ○
제목 : 내 마음
오늘 아침 부터 엄마 아빠께서
는 논으로 일하시러 갔다.
나는 어머니 아버지가 참 고마왔
다. 너무 나도 고마워서 눈물
이 날지 경이었다.
논에서 일하시는 모습을 생각
하면 내가 부끄러웠다.
매일 엄마 말씀도 듣지 않았
으니 말이다.
나는 내일 부터라도 엄마, 아빠 말
씀 잘듣고 꾸중 듣지 않으며
공부를 열심히 해야겠다.
그래서 엄마 아빠 기쁘게 해주어야 겠

오늘 아침부터 엄마 아빠께서는 논으로 일하시러 갔다.

나는 어머니 아버지가 참 고마웠다. 너무나도 고마워서 눈물이 날 지경이었다.

논에서 일하시는 모습을 생각하면 내가 부끄러웠다.

매일 엄마 말씀도 듣지 않았으니 말이다.

나는 내일부터라도 엄마, 아빠 말씀 잘 듣고 꾸중 듣지 않으며 공부를 열심히 해야겠다.

그래서 엄마 아빠 기쁘게 해주어야겠다.

(원작 : 국민학교시절 김미르) (옮긴이 : 김미르)

손에 지문이 없어질 정도로 열심히 농사지으시던 엄마와 아빠... 엄마는 누적된 고됨에 온몸이 종합병원이 되신지 수십 년째이다. 지금 난 당시의 다짐과 약속을 지키며 부모님께 효도하고 있는지, 나 자신을 뒤돌아보게 된다. 오늘부터라도 부모님께 안주 전화라도 자주 드려야겠다.

# 언니가 해준 밥

글(일기) : 김미르 (9년 8개월)

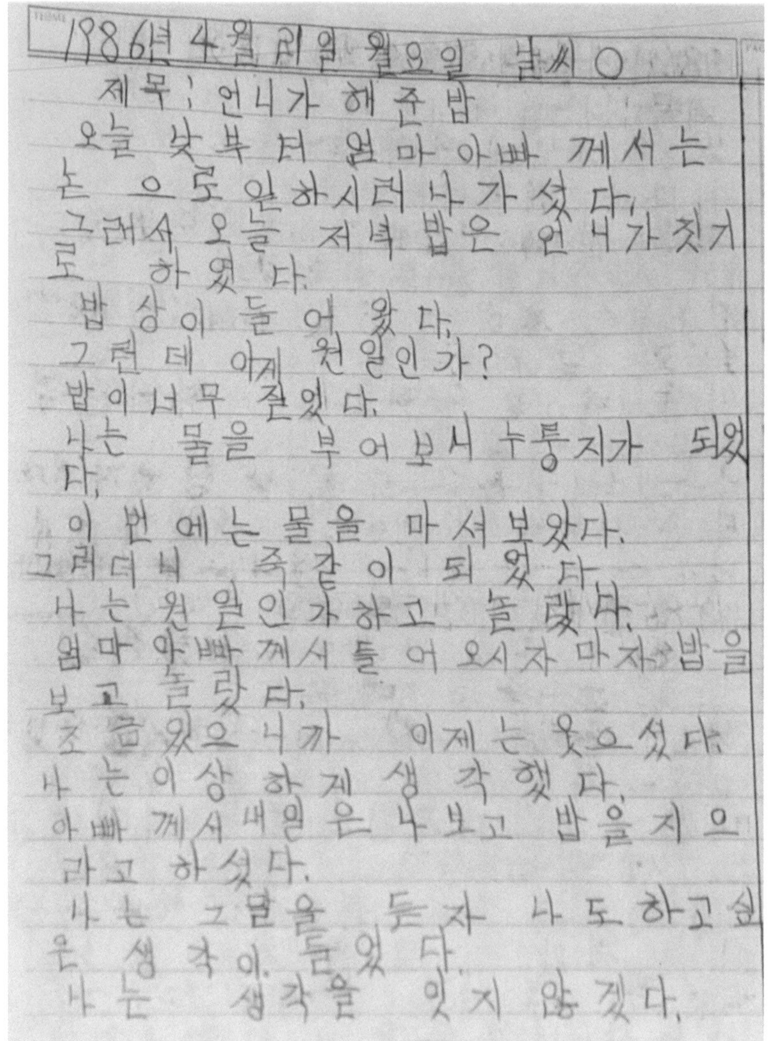

1986년 4월 21일 월요일 날씨 ○

제목 : 언니가 해준 밥

오늘 낮부터 엄마 아빠 께서는
논 으로 일하시러 나가셨다.
그래서 오늘 저녁 밥은 언니가 짓기
로 하였다.
밥 상이 들어 왔다.
그런데 이게 원일인가?
밥이 너무 질었다.
나는 물을 부어 보니 누룽지가 되었
다.
이번에는 물을 마셔 보았다.
그러더니 죽 같이 되었다.
나는 원일인가 하고 놀랐다.
엄마 아빠 께서 들어 오시자 마자 밥을
보고 놀랐다.
조금 있으니까 이제는 웃으셨다.
나는 이상하게 생각했다.
아빠 께서 내일은 나보고 밥을 지으
라고 하셨다.
나는 그 말을 듣자 나도 하고싶
은 생각이 들었다.
나는 생각을 잊지 않겠다.

오늘 낮부터 엄마 아빠께서는 논으로 일하시러 나가셨다.

그래서 오늘 저녁밥은 언니가 짓기로 하였다.

밥상이 들어왔다.

그런데 이게 원일인가?

밥이 너무 질었다.

나는 물을 부어보니 누룽지가 되었다.

이번에는 물을 마셔보았다.

그러더니 죽같이 되었다.

나는 원일인가하고 놀랐다.

엄마 아빠께서 들어오시자마자 밥을 보고 놀랐다.

조금 있으니까, 이제는 웃으셨다.

나는 이상하게 생각했다.

아빠께서 내일은 나보고 밥을 지으라고 하셨다.

나는 그 말을 듣자 나도 하고 싶은 생각이 들었다.

나는 생각을 잊지 않겠다.

(원작 : 국민학교시절 김미르) (옮긴이 : 김미르)

내가 4학년 때쯤이니 언니는 중2였을 때부터 농사일로 늦게 들어오시는 부모님을 대신해 본격적으로 밥을 하고 살림을 돕기 시작했었다. 5형제 맏딸로 태어나 가족과 동생들을 위해 많은 희생을 해온 언니... 엄마는 그럴 수밖에 없었던 어린 언니에게 항상 미안해하신다. 그리고 지금 여전히 많이 의지하고 있는 자신의 모습에 또 미안해하신다. 그때나 지금이나 여전히 엄마와 언니를 도와주지 못한 미안함이 파도가 되어 밀려온다. 하필 자주 찾아뵙지도 못하게 살고 있는 제주에서...

# 비가 오는 날

글(일기) : 김미르 (9년 10개월)

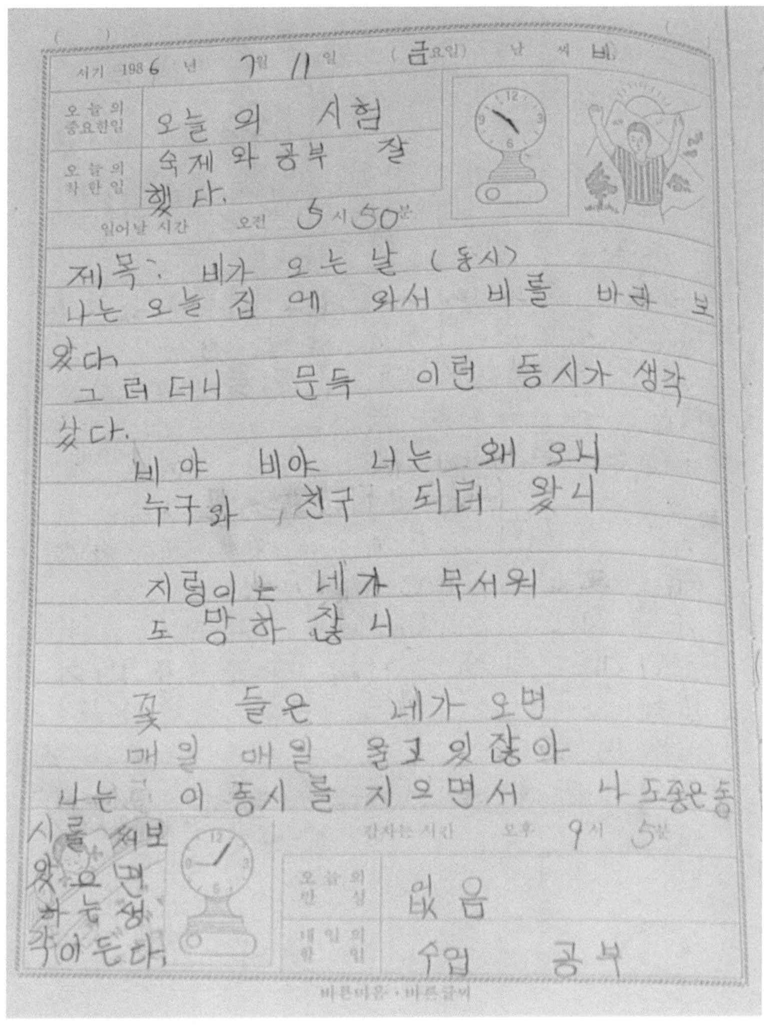

시기 1986 년 7월 11일 (금요일) 날씨 비

| | |
|---|---|
| 오늘의 중요한일 | 오늘의 시험 |
| 오늘의 착한일 | 숙제와 공부 잘 했다. |

일어날 시간 오전 5시 50분

제목: 비가 오는 날 (동시)

나는 오늘 집에 와서 비를 바라 보왔다. 그러더니 문득 이런 동시가 생각 났다.

비야 비야 너는 왜 오니
누구와 친구 되러 왔니

지렁이는 네가 무서워
도망하잖니

꽃들은 네가 오면
매일 매일 웃고 있잖아

나는 이 동시를 지으면서 나도 좋은 동시를 써보았으면 하는 생각이 든다.

잠자는 시간 오후 9시 5분

| | |
|---|---|
| 오늘의 반성 | 없음 |
| 내일의 할일 | 수업 공부 |

바른마음 · 바른글씨

나는 오늘 집에 와서 비를 바라보았다.
그러더니 문득 이런 동시가 생각났다.

비야 비야 너는 왜 오니
누구와 친구 되러 왔니

지렁이는 네가 무서워
도망하잖니

꽃들은 네가 오면
매일매일 울고 있잖아

나는 이 동시를 지으면서 나도 좋은 동시를 써보았으면 하는 생각이 든다.

(원작 : 국민학교시절 김미르) (옮긴이 : 김미르)

기억은 잘 나지 않지만, 이 시절에는 나도 동시를 일기에 쓰곤 했었네. 찌찌뽕~

지나가던 가온이가 이 글을 보더니 똑같이 말하고 간다.

"엄마도 일기에 동시를 썼었네. 나도 그래."

# 자전거

글(일기) : 김미르 (9년 11개월)

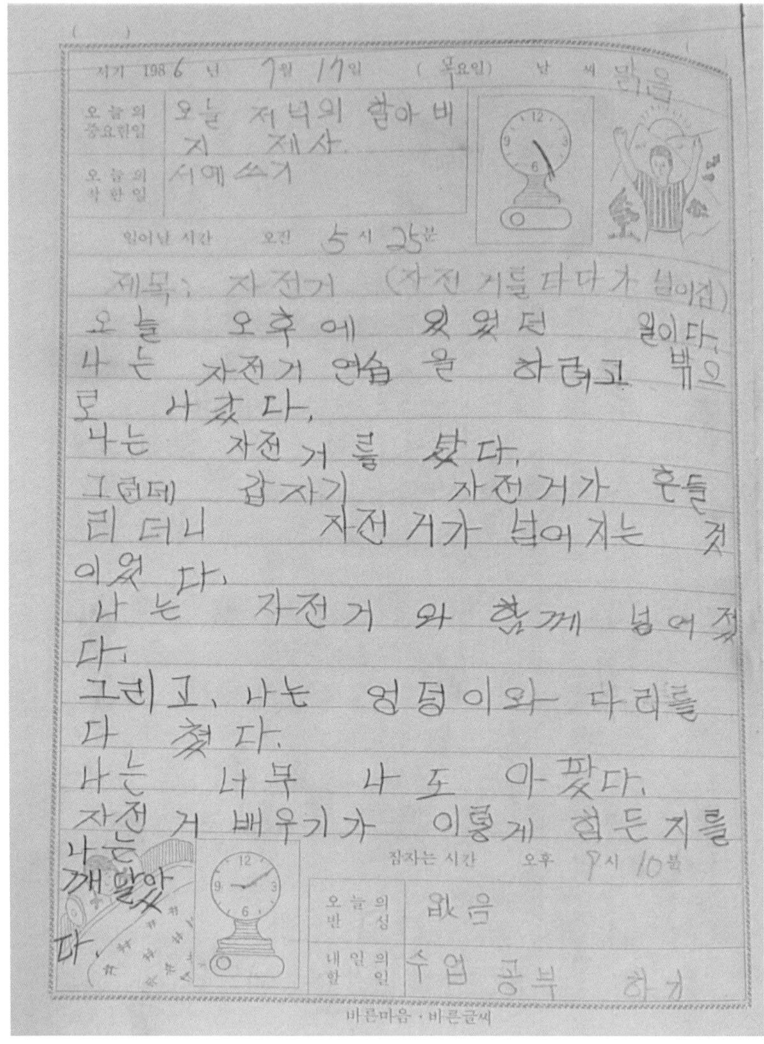

서기 1986년 7월 17일 (목요일) 날씨 맑음

| 오늘의 중요한일 | 오늘 저녁의 할아버지 제사 |
| --- | --- |
| 오늘의 착한일 | 서예 쓰기 |

일어난 시간 오전 5시 25분

제목 : 자전거 (자전거를 타다가 넘어짐)

오늘 오후에 있었던 일이다.
나는 자전거 연습을 하려고 밖으로 나갔다.
나는 자전거를 탔다.
그런데 갑자기 자전거가 흔들리더니 자전거가 넘어지는 것이었다.
나는 자전거와 함께 넘어졌다.
그리고, 나는 엉덩이와 다리를 다쳤다.
나는 너무 나도 아팠다.
자전거 배우기가 이렇게 힘든지를 나는 깨달았다.

잠자는 시간 오후 9시 10분

| 오늘의 반성 | 없음 |
| --- | --- |
| 내일의 할일 | 수업 공부 하기 |

바른마음 · 바른글씨

오늘 오후에 있었던 일이다.

나는 자전거 연습을 하려고 밖으로 나갔다.

나는 자전거를 탔다.

그런데 갑자기 자전거가 흔들리더니 자전거가 넘어지는 것이었다.

나는 자전거와 함께 넘어졌다.

그리고 나는 엉덩이와 다리를 다쳤다.

나는 너무나도 아팠다.

자전거 배우기가 이렇게 힘든지를 나는 깨달았다.

(원작 : 국민학교시절 김미르) (옮긴이 : 김미르)

당시는 자전거를 타다가 넘어지는 일이 매일 반복되는 일상 중 하나였었다. 그럼에도 불구하고 다리도 닿지 않는 그 큰 어른 자전거를 포기하지 않고 끝까지 연습해서 혼자 탔을 때의 성취감은 지금도 생생히 기억한다.

# 파란 하늘

글(일기) : 김미르 (9년 11개월)

세기, 1986년 8월 30일 토요일 날씨:

제목: 동시 (파란 하늘)

1) 파란 하늘은
파랗지도 하지

2) 바다가
즐거워 노래 부르네

3) 하늘과 바다는
친구
정다운 친구

4) 파란 하늘은
꼭 필요한것

5) 아빠가 있는곳
엄마가 있는곳
모두 모두
알려 주네

6) 파란 하늘은
언제까지나
저러고 있을까?

<6연 16행>

파란 하늘은

파랗지도 하지

바다가

즐거워 노래 부르네

하늘과 바다는

친구

정다운 친구

파란 하늘은

꼭 필요한 것

아빠가 있는 곳

엄마가 있는 곳

모두 모두 알려주네

파란 하늘은

언제까지나

저러고 있을까?

(원작 : 국민학교시절 김미르) (옮긴이 : 김미르)

지금 봐도 어디선가 본 듯한 그저 그런 평범한 글귀로 써 내려간 동시. 당시에도 비슷한 생각을 하며 '나는 시인되기에는 재능이 없구나' 했었던 기억이 어렴풋이 생각난다.

# 내 생일

글(일기) : 김미르 (10년 1개월)

1986년 9월 20일 토요일 날씨 : 비
제목 : 내 생일 (8월17일 양)
오늘은 내 생일이다.
하지만 엄마는 떡도 하지 않았다.
또, 오늘 생일은 안 추린다고 말숨 하셨다.
나는 토라졌다.
내생일인데 아무것도 하지 않았기때문이다.
나는 우리 식구가 얄미웠다.
하지만, 꾹 참았다.
엄마는 나를 왜 낳았는지 모르겠다.
우리 형제들은 생일을 잘 추리는데 나는 추리지
못하기 때문이다.
나는 슬펐다.
나는 울고 싶다.

오늘은 내 생일이다.

하지만 엄마는 떡도 하지 않았다.

또, 오늘 생일은 안 추린다고 말씀하셨다.

나는 토라졌다.

내 생일인데 아무것도 하지 않았기 때문이다.

나는 우리 식구가 얄미웠다.

하지만 꾹 참았다.

엄마는 나를 왜 낳았는지 모르겠다.

우리 형제들은 생일을 잘 추리는데

나는 추리지 못하기 때문이다.

나는 슬펐다.

나는 울고 싶다.

(원작 : 국민학교시절 김미르) (옮긴이 : 김미르)

매년 추석 2일 후가 생일(음력)이었던 탓에 대부분의 내 생일은 잊혀졌었다. 그리고 어쩌다 생각이 난 해에는 추석 음식이 여전히 남아 있게 되는 상황이라서 별도로 음식(미역국, 떡 등)을 하시기도 애매해 하셨다. 때문에 어릴 적 철없던 내가 가장 원하는 선물 중 하나는 생일을 기억해 주는 것과 새로 만든 떡 그리고 소고기뭇국이 아닌 미역국이었다. 생일을 바꾸지 않는 한 바뀔 수 없는 환경이었기에 10대를 벗어난 이후로는, 오히려 남들이 신경 쓰면 불편한 생일이 되어버렸다. 더욱이 나이를 더 먹는 게 그다지 좋은 일이 아닌 최근에는 조용히 넘어

가는 생일이 더 편할 때도 많아졌다. 이는 태어난 나보단 나를 낳고 산후조리도 제대로 못 하고 농사일과 살림을 도맡았을 엄마의 고달픔이 엄마가 되고 난 후에 이해가 되고 살펴지게 되었기 때문이다.

# 자전거 선물

글(일기) : 김미르 (10년 7개월)

1987년 4월 1일 수요일 날씨 : 비
제목 : 자전거
오늘 아침에 아빠께서 새 자전거
한대를 가지고 들어 오셨다.
나는 작은 집에서 빌려온 건
인 줄 알았다.
하지만 그것이 아니었다.
그건 아빠께서 사오셨다.
나는 너무나도 기뻤다.
하지만, 아빠는 그 자전거를
나에게 주려 하지 않고 오빠
한테 주려고 했다.
나는 그래도 좋았다.
저번에 산 것을 나에게 줄지 모르기

오늘 아침에 아빠께서 새 자전거 한 대를 가지고 들어오셨다.

나는 작은 집에서 빌려온 건인 줄 알았다.

하지만 그것이 아니었다.

그건 아빠께서 사 오셨다.

나는 너무나도 기뻤다.

하지만 아빠는 그 자전거를 나에게 주려 하지 않고 오빠한테 주려고 했다.

나는 그래도 좋았다.

저번에 산 것을 나에게 줄지 모르기 때문이다.

(원작 : 국민학교시절 김미르) (옮긴이 : 김미르)

당시 기억이 새록새록 떠오른다. 아마도 당시 유행하던 드라마'후남이 귀남이'를 언급하며 차별하지 말고 내 것도 달라고 떼를 썼었다. 그로부터 몇 년이 흐른 뒤 그런 관심과 선물이 좋기만 하진 않았다는, 아니 항상 기대감과 함께였기에 불편하고 부담스러웠다는 오빠의 진심을 알게 되었던 기억도 함께 떠오른다.

# 여행

글(일기) : 김미르 (11년 8개월)

1988년 4월 18일 월요일 날씨 (맑음)
제목 (동시)
오늘 엄마께서 여행을 가셨다
동네 모든 사람들과 같이 갔다.
나는 얄미움에 견디지 못해 동시를 썼다.

여행

여행이란?
여행은 모든 사람들이
가는건데...
왜 우리만 떼어놓지

어른들은 참이상해

나도 여행을 떠났으면
얼마나 좋을까

오늘 엄마께서 여행을 가셨다.

동네 모든 사람들과 같이 갔다.

나는 얄미움에 견디지 못해 동시를 썼다.

여행

여행이란?
여행은 모든 사람들이
가는 건데...
왜 우리만 떼어놓지

어른들은 참 이상해

나도 여행을 떠났으면
얼마나 좋을까

(원작 : 국민학교시절 김미르) (옮긴이 : 김미르)

아마도 1년에 한두 번 농번기 전후로 동네 주민들끼리 단체 여행이나 나들이를 다녀오셨을 것이다. 그게 공식적인 엄마, 아내, 며느리 자리에서 유일하게 몇 시간 휴가 다녀올 수 있는 절호의 기회셨을 것이다.

# 책상

글(일기) : 김미르 (10년 1개월)

1988년 5월 25일 수요일 날씨(맑음)
제목(책상)
우리집엔 공부방이 한방있다.
이 방은 전에는 곡간 1호였지만, 고쳐서 방을 만들었다.
방에는 책상이 3개있는데, 내 책상은 작은 아빠가 짠 것이고 책상 꽂이는 아빠가 짰다.
또 의자는 작은 아빠가 쓰던 의자이다.
난 이책상과 책꽂이와 의자를 갖게 된것을 자랑스럽게 생각 된다.

우리 집엔 공부방이 한 방있다.

이 방은 전에는 곡간 1호였지만, 고쳐서 방을 만들었다.

방에는 책상이 3개 있는데, 내 책상은 작은 아빠가 짠 것이고 책상 꽂이는 아빠가 짰다. 또 의자는 작은 아빠가 쓰던 의자이다.

난 이 책상과 책꽂이와 의자를 갔게 된 것을 자랑스럽게 생각된다.

(원작 : 국민학교시절 김미르) (옮긴이 : 김미르)

금손이셨던 아빠 엄마, 특히 아빠는 지금까지 건실하게 현존하는 살림집과 창고들, 온갖 가구, 개집 등을 뚝딱뚝딱 만드시곤 하셨었다. 당시 창고를 개조해 살림 독채를 만드시던 아빠를 도와 벽돌도 나르고 보일러 바닥 작업을 도와 흙도 밟았던 기억이 난다.

# 머리

글(일기) : 김미르 (11년 10개월)

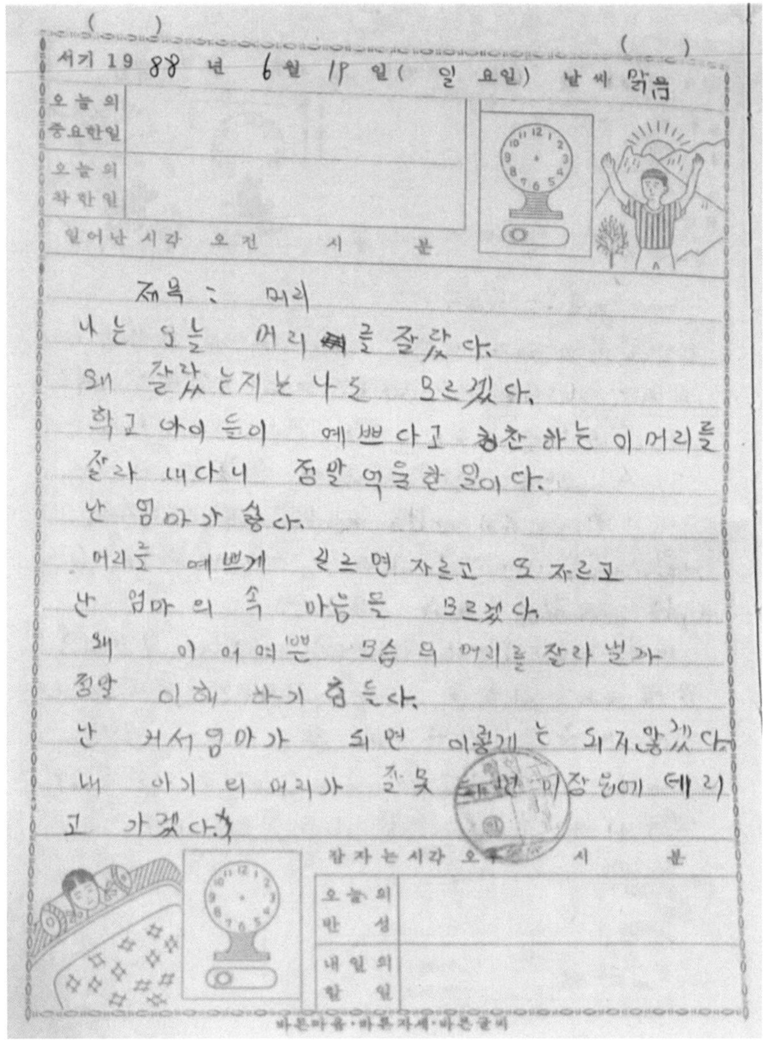

서기 1988년 6월 19일 (일요일) 날씨 맑음

오늘의 중요한일

오늘의 착한일

일어난 시각 오전 시 분

제목 : 머리

나는 오늘 머리를 잘랐다.
왜 잘랐는지는 나도 모르겠다.
학교 아이들이 예쁘다고 칭찬하는 이머리를
잘라 내다니 정말 억울한 일이다.
난 엄마가 싫다.
머리를 예쁘게 길르면 자르고 또 자르고
난 엄마의 속 마음도 모르겠다.
왜 이 이 예쁜 모습의 머리를 잘라 낼까
정말 이해 하기 힘든다.
난 커서엄마가 되면 이렇게는 되지않겠다.
내 아기 의 머리가 잘못 되면 미장원에 데리
고 가겠다.

잠자는 시각 오후 시 분

오늘의 반성

내일의 할일

바른마음·바른자세·바른글씨

나는 오늘 머리를 잘랐다.

왜 잘랐는지는 나도 모르겠다.

학교 아이들이 예쁘다고 칭찬하는 이 머리를 잘라내다니 정말 억울한 일이다.

난 엄마가 싫다.

머리를 예쁘게 길르면 자르고 또 자르고

난 엄마의 속마음을 모르겠다.

왜 이 어여쁜 모습의 머리를 잘라낼까

정말 이해하기 힘들다.

난 커서 엄마가 되면 이렇게는 되지 않겠다.

내 아기의 머리가 잘못되면 미장원에 데리고 가겠다.

(원작 : 국민학교시절 김미르) (옮긴이 : 김미르)

어릴 적 머리를 짧게 자르려는 엄마에게 벗어나려고 여러 번 도망 다녔지만, 결과는 매번 엄마의 승리였다. 펑펑 울면서 붙들려와 앞마당에 놓인 의자에 앉아 싹둑싹둑 머리 잘려 나가는 소리를 들어야 했다. 엄마 안목처럼 짧은 머리가 잘 어울려선지 아니면 자주 하다 보니 익숙해서인지 성인이 된 이후 대부분을 짧은 머리로 유지하고 있다.

온자매들은 배냇머리로 허리까지 기른 후에 세 명 모두 미용실에 처음 방문해 머리를 자르고 자의 반 타의 반 자른 모발을 기부했었다(가온-9년 10개월, 다온-7년 6개월. 라온-6년 3개월). 처음 미용실에 간 설렘, 소중한 긴 머리를 단발로 싹둑 잘라내 버리는 서운함, 필요한 친구들을 위해 기부하는 대견함에 울고 웃었던 그날의 감정들. 아이들이 오랫동안 소중한 기억으로 남길 바라본다.

# 인생이란? 다 그런 것

글(일기) : 김미르 (12년 2개월)

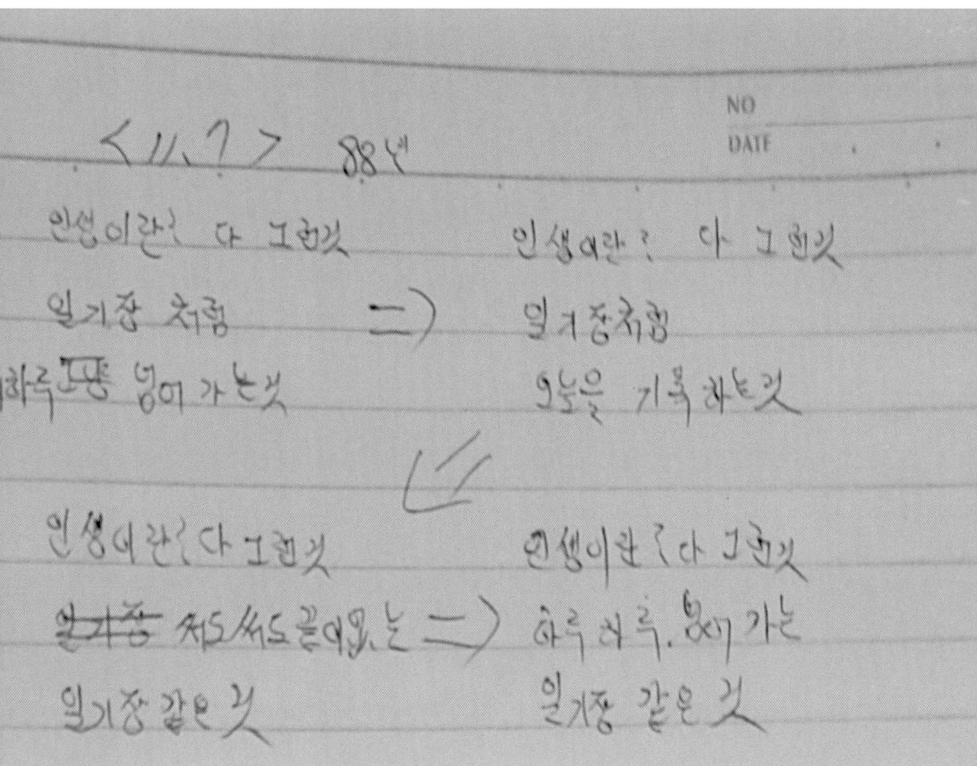


인생이란? 다 그런 것

일기장처럼

하루하루 넘어가는 것

인생이란? 다 그런 것
일기장처럼 오늘을 기록하는 것

인생이란? 다 그런 것
써도 써도 끝이 없는
일기장 같은 것

인생이란? 다 그런 것
하루하루 넘어가는 일기장 같은 것

(원작 : 국민학교시절 김미르) (옮긴이 : 김미르)

지금 보니 어디선가 들어봄 직한 노래 가사 같기도... 국민학교(초등학교) 6학년, 찬찬히 회상해 보니 그때가 나의 사춘기 시작이었던 듯하다.

# 우리 식구

글(일기) : 김미르 (12년 4개월)

1988년 6월 18일 일요일 날씨: 맑음

목:

우리 식구는 하나도 빼놓지 않고 모두 먹보이다.

부터 말이다. 난 정말 내가 먹보라고 생각 된다. 그런데 난 이상하게도

찌지 않는다. 갈비이다. 선생님들께서는 갈비라고 놀려 대기도 한다.

, 종전의 선생님이 가장 심하다. 그 집에서 는 2반 선생님을 좋아하기도 한다.

님께서는 난쟁이 처럼 키도 작지만, 익살스럽기도 하다. 들에가

에 비하면 우리 선생님은 매우 징그럽다. 아침이 올 수가 하는 생각이 천수번이었다.

들 말로는 편도선에 걸린 사람은 살이 찌지 않는다고 한다.

까지 날 괴롭혔던 편도선이 이렇게 좋은 일도 하는구나! 하고 생각하니

겨울에 수술해서 떼어 내면 조금만 먹어도 살이 찔까? 하는 걱정이 생긴다.

한끼에 공기로 3그릇 이상은 먹는데, 이런 식으로 간다면 여름도 못 가서

해 질 텐데 걱정 된다 그리고, 먹보인 우리 식구를 당할 식구는 아무 데도

것이다. 정말 먹는 것이라면 끝내준다. 핫도그 30개를 사오면 30분 만에

먹어 치운다. 이런 식성도 어디엔가 도움이 될까?

재산이니까-

우스갯 소리다.

하하하

우리 식구는 하나도 빼놓지 않고 모두 먹보이다.

나부터 말이다. 난 정말 내가 먹보라고 생각된다. 그런데 난 이상하게도 살이 찌지 않는다. 갈비이다. 선생님들께서는 갈비라고 놀려 대기도 한다. 특히 정** 선생님이 가장 심하다. 그 점에서는 2반 선생님을 좋아하기도 한다. 선생님께서는 난장이처럼 키도 작지만 익살스럽기도 하다. 거기에 비하면 우리 선생님은 너무 징그럽다. 어쩜 이럴 수가 하는 생각이 들 때가 한두 번이 아니다.

친구들 말로는 편도선에 걸린 사람은 살이 찌지 않는다고 한다.

여태까지 날 괴롭혔던 편도선이 이렇게 좋은 일도 하는구나! 하고 생각하니 이번 겨울에 수술해서 떼어내면 조금만 먹어도 살이 찔까? 하는 걱정이 생긴다.

난 한끼에 공기로 3그릇 이상은 먹는데, 이런 식으로 간다면 며칠도 못 가서 뚱뚱해질 텐데 걱정된다. 그리고 먹보인 우리 식구를 당할 식구는 아무 데도 없을 것이다. 정말 먹는 것이라면 끝내준다. 핫도그 30개를 사오면 30분 만에 다 먹어 치운다. 이런 식성도 어디엔지 도움이 될까?

건강은 재산이니까

너무 우스깡스럽다. 하하하

(원작 : 국민학교시절 김미르) (옮긴이 : 김미르)

지금은 선호하지만, 당시에는 불쌍해 보인다며 놀림 받던 마른 체형. 형제자매 모두 거기에서 벗어나지 못했고 식성도 좋은 편이라, 엄마는 여전히 명절에 먹일 게장 준비를 위해 한 번에 100kg씩, 고기도 10kg 이상씩을 사신다. 그런 엄마 집에 형제들이 모두 모여 북적거리며 식사할 때 가장 먹성이 폭발한다. 아마도 타고난 식성보다는 엄마의 손맛과 살가운 5형제의 북적거림 덕일게다.

# 편도 수술

글(일기) : 김미르 (12년 4개월)

서기 198[illegible]년 1월 12일 목요일 날씨 <흐림>

제목 : 수술 그림이 안, 피곤해서 —

지금 그때를 생각하면 눈물이 쏟아진다.

아침 6시 반에 일어나 정문 까지 걸어 가서 청주로 가는 버스를 탔다

약 9시경에 수술해서 반 정도 걸렸을 것이다. 링거를 손에 꽂고

있을때 난 옆쪽에 걸린 시계만이 눈에 띄었다.

링거로 병속에 [illegible] 물같은 것은 약 2시간 정도 가 되어서 내 몸에

들어갔다. 그다음 입원실로 가서 오후 6시 까지 기다렸다.

한끼에 밥을 3공기 4공기 이상을 먹는 나에게는 그끼를 굶는다는

참을수 없는 고통 이었다. 저녁 식사는 아이스크림으로 때웠다.

무엇을 먹던지 배가 아파도 밥은 꼭 먹어야만 하는 나에게는 큰 고통이

형제들이 날 부럽다고 할때마다 난 "내 대신 자기들이 이런 고생

해보시지" 하지만, 말을 입 밖으로 나오지 않는다.

소리가 너무 작아서 입을 벌릴때마다 입이 찢기어 나가는 것처

느껴졌다. 정말 지겨운 하루였다. 수술 할때도 울며 아

주 마구 울었다. 하지만, 그렇게 울지도 못했다. 움직이지도 못했다.

죽도 오늘 5밥이나 먹었다. 날 낳아준 어머님이 원망스러웠다. [illegible]

지금 그때를 생각하면 눈물이 쏟아진다.

아침 6시 반에 일어나 평교까지 걸어가서 정주로 가는 버스를 탔다. 약 9시경에 수술해서 반 정도 걸렸을 것이다. 링게를 손에 놓고 있을 때 난 옆쪽에 걸린 시계만이 눈에 띠었다.

링게르 병속에 있는 물 같은 것은 약 2시간 정도가 되어서 내 몸에 들어갔다. 그다음 입원실로 가서 오후 5시까지 기다렸다.

한끼에 밥을 3공기 이상을 먹는 나에게는 2끼를 굶는다는 것, 참을 수 없는 고통이었다. 저녁 식사는 아이스크림으로 때웠다. 무엇을 먹던지 배가 아파도 밥은 꼭 먹어야 하는 나에게는 큰 고통이었다.

형제들이 날 부럽다고 할 때마다 난 "내 내신 자기들이 이런 고생을 해보시지" 하지만 말을 입 밖으로 나오지 않는다.

소리가 너무 작아서 입을 벌릴 때마다 입이 찢기어 나가는 것처럼 느껴졌다. 정말 지겨운 하루였다. 수술할 때도 얼마나 아팠는지 마구 울었다.

하지만 그렇게 울지도 못했다.

움직이지도 못했다. 주사도 오늘 5방이나 맞았다. 날 낳아준 부모님이 원망스러웠다.

(원작 : 국민학교시절 김미르) (옮긴이 : 김미르)

중학교 입학 2달을 앞둔 겨울, 엄마 손을 잡고 편도선 절제술을 받으러 갔던 기억이 여전히 선명하다. 아직 어린아이에게 목 안쪽 편도 주변에 부분 마취 주사를 놓고 입 벌린 상태로 수술을 받게 했던 그날의 끔찍했던 고통들... 밥은 절대 안 된다고 해서 제일 싫어했던 (오직 우유로만 만들어진) 아이스크림만으로 연명했던 3일간의 기억들... 후유증으로 며칠 동안 고열에 더 시달렸고 2개월 동안은 목소리도 내지 못했었다.

# 코피

글(일기) : 김미르 (12년 5개월)

일기 1988년 1월 12일 목요일 날씨 < 흐림
제목! (수술) 그렇지만, 피곤해서 —
지금 그때를 생각하면 눈물이 쏟아진다.
아침 6시 반에 일어나 정[illegible] 까지 걸어 가서 청주로 가는 버스를 탔다
약 9시경에 수술해서 반 정도 걸렸을 것이다. 링게르를 손에 꽂고
있을때 난 옆쪽에 걸린 시계만이 눈에 띄었다.
링게르 병속에 들어있는 물 같은 것은 약 2시간 정도 가 되어서 내 몸에
들어갔다. 그다음 입원실로 가서 오후 6시 까지 기다렸다.
한끼에 밥을 3공기 이상을 먹는 나에게는 [illegible] 굶는 다는 것
참을수 없는 고통 이었다. 저녁 식사는 아이스크림으로 때웠다.
무엇을 먹던지 배가 아파도 밥은 꼭 먹어야 만 하는 나에게는 큰고통이었다.
형제 들이 날 부럽다고 할때 마다 난 "내 대신 자기들이 이런고생을
해 보시지" 하지만, 말을 입 밖으로 나오지 않는다.
소리가 너무 작아서 입을 벌릴때마다 입이 찢기어 나가는 것 처럼
느껴졌다. 정말 지겨운 하루였다. 수술 할때도 얼마나 아팠은
마구 울었다. 하지만, 그렇게 울지도 못했다. 움직이지도 못했다.
또 오늘 5방이나 맞았다. 날 낳아준 부모님이 원망스러웠다. 밥먹 [illegible]

오늘은 무슨 날일까? 무슨 징조가 나타난 걸까?

이런 의심이 생길 만도 하다.

오늘 처음으로 코피를 흘렸으니 말이다.

내 기억으로는 태어나서 처음으로 말이다.

코피는 언니와 부딪쳐서 났다.

우리들이 TV를 보고 있는데, 엄마가 밖에서 언니보고 걸레 좀 빨으라고 하니까,

언니가 일어나다가 저쪽으로 자리를 옮기려고 일어난 나와 부딪쳤다.

언니 머리와 내 이빨과 코에 부딪쳤는데, 이빨이 아파서 만지고 있으려니까 코에서 뭐가 흘러내리는 기분이 들었다. 코피가 아닐까? 해서 불을 켜보았더니 코피였다. 젤 처음엔 코피가 난 게 신기하고 기뻤지만, 나중에는 좀 서운했다. '중학교에 들어가서 코피가 났으면 더 좋았을 텐데...'

하여튼 오늘은 새로운 일이 발견된 것 같다.

(원작 : 국민학교시절 김미르) (옮긴이 : 김미르)

평소 몸이 약한 편이었지만, 남들 다 나는 코피를 중학교 입학 한 달을 앞두고서야 처음 흘렸던 그날. 이후 지금까지 코피를 흘린 적은 다섯 손가락에도 못 꼽힌다. 알고 보니 강철 체력

**제주에서 가다라와나**

**발 행** | 2024년 07월 23일
**저 자** | 김가온, 김다온, 김라온, 김미르
**그림** | 김가온, 김다온, 김라온
**표지그림** | 김라온
**디자인** | 오은정
**인권표현검수** | 이지민
**바른우리말검수** | 이지민
**후원** | 제주특별자치도, 제주문화예술재단
**주관** | 서귀포 오아시스
**미디어에디터** | 최인서
**작품편집, 에이전트** | 박산솔, 이정숙, 이선경
**펴낸이** | 한건희
**펴낸곳** | 주식회사 부크크
**출판사등록** | 2014.07.15.(제2014-16호)
**주 소** | 서울 금천구 가산디지털1로 119, SK트윈타워 A동 305호
**전 화** | 1670 - 8316
**이메일** | info@bookk.co.kr

ISBN | 979-11-410-9676-2

**www.bookk.co.kr**


2024 엄마의 활주로 '함께육아에세이'의 취지에 맞게 작가의 감정 표현과
아이의 언어 표현을 지키는 방향으로 교정 교열 하였습니다.

본 책은 강원교육모두체, 학교안심(확장)바른돋움체,
미니콩다방체(폰트 저작권자 유토이미지 (UTOIMAGE.COM)가 사용되었습니다.


본 책은 제주특별자치도와 제주문화예술재단의 후원을 받아 제작되었습니다.

Jeju JFAC 제주문화예술재단